Tratado sobre a clemência

Dados Internacionais de Catalogação na Publicação (CIP)
(Câmara Brasileira do Livro, SP, Brasil)

Seneca, Lucius Annaues

Tratado sobre a clemência / Lucius Annaues Seneca ; introdução, tradução e notas de Ingeborg Braren. – Petrópolis, RJ: Vozes, 2013. – (Vozes de Bolso)

Bibliografia.

4ª reimpressão, 2024.

ISBN 978-85-326-4512-8

1. Ética política 2. Filosofia antiga 3. Política – Filosofia 4. Virtudes I. Braren, Ingeborg. II. Título. III. Série.

12-15273 CDD-320.01

Índices para catálogo sistemático:
1. Sêneca : Filosofia política 320.01

Lucius Annaeus Seneca

Tratado sobre a clemência

Introdução, tradução e notas de
Ingeborg Braren

Vozes de Bolso

Tradução do original em latim intitulado *De Clementia*

Rua Frei Luís, 100
25689-900 Petrópolis, RJ
www.vozes.com.br
Brasil

Diagramação: Sheilandre Desenv. Gráfico
Capa: visiva.com.br

ISBN 978-85-326-4512-8

Este livro foi composto e impresso pela Editora Vozes Ltda.

Sumário

Abreviaturas

K-P – Der kleine Pauly, Lexikon der Antike in fünf Bänden, auf der Grundlage von Pauly's Realencyclopädie der classischen Altertumswissenschaft

RAL – Rendiconti della Classe di Scienze morali, storiche e filologiche dell'Academia dei Lincei

R-E – Paulys Wissowa Realencyclopaedie der classischen Altertumswissenschaft

REA – *Revue des Études Anciennes*

REG – *Revue des Études Grecques*

REL – *Revue des Études Latines*

RhM – Rheinisches Museum für Philologie

Abreviaturas

Introdução

Estaria DECEPCIONADO hoje quem julgasse que Sêneca, o eminente filósofo e grande homem de letras, como romano e como filósofo estoico, não tivesse acatado os padrões da responsabilidade própria do estoicismo e deixasse de atuar como político em seu tempo.

Nasceu em Córdoba, em data ainda em discussão; Pierre Grimal[1] aproxima-a por volta de 1 a.C.; e morreu a 19 de abril de 65 d.C. Muito cedo, foi para Roma e, durante os anos de formação, apaixonou-se pela filosofia e interessou-se por questões da natureza. Sua saúde precária levou-o ao Egito por volta de 25 d.C., de onde só retornou em 31 d.C. Já em Roma, deu início ao *cursus honorum* relativamente tarde, pois deve ter sido questor só por volta de 34 ou 35 d.C., quando já começava a despontar como grande orador.

A cronologia de suas obras é um *locus desperatus* da filologia[2]. Todavia, aceita-se que, por volta de 44 d.C., dez anos mais tarde, Sêneca já realizara algumas obras, perdidas, sobre questões da natureza; três consolações que permaneceram, assim como o tratado *De ira,* em três livros.

Tendo escrito várias obras em prosa, consolações, tratados filosóficos, uma sátira, tragédias em versos, epístolas morais, coube a Sêneca tentar uma única incursão na política em *Da clemên-*

cia. Neste tratado Sêneca apresenta a cristalização de suas ideias políticas e uma resposta ao diagnóstico das carências que encontrou em seu momento histórico-político.

Um momento histórico pode ser captado através do testemunho escrito contemporaneamente à evolução dos acontecimentos.

No campo das ideologias políticas, fizeram-no Cícero e Sêneca. Contudo, já havia transcorrido um século desde o aparecimento do tratado *De republica*[3], de Cícero. O espírito público que respirava nessa obra fora impedido de continuar a manifestar-se. A *libertas* republicana que havia permitido a participação dos cidadãos na vida política estava perdida. A magistratura que havia sido um fator de grandeza e equilíbrio da época republicana também ficou privada de sua independência[4]. O que permaneceu da época de Cícero foi a necessidade de aceitar a conjugação dos interesses particulares dos cidadãos (fato que pode ser considerado perfeitamente moderno!) com a consciência de que as instituições estatais seriam duradouras se organizadas sob o comando de um único chefe.

O regime político que se estabilizou com Augusto centralizava-se na figura do *princeps,* refletindo, porém, as idiossincrasias do governante na máquina estatal. Esta não passava de um sistema, cuja estrutura submissa se reduzia a motivar-se somente quando havia conflitos de interesses e vaidades[5]. Assim, o período pós-Augusto até Nero foi pobre em ideias políticas. Em parte, isto foi consequência do encarceramento sucessivo do pensamento provocado ora pelo ressentimento de Tibério, ora pelo desequilíbrio de Calígula, ora pela fraqueza de Cláudio. Portanto, desde Augusto, o Estado oferecia apenas o espaço estatal; não fornecia mais o conteúdo de vida como na época de Cícero.

A necessidade de preencher o vazio ideológico fez com que a lucidez de Sêneca propusesse uma teoria política de poder absoluto fundamentada em um ideal caracterizado por uma virtude, a *clementia.* A intenção é adequar a teoria a uma necessidade tão antiga quanto atual: o poder não precisa corromper se, segundo Sêneca, estiver estruturado segundo a lei da natureza (*De clem.* III,17,2).

Quem ler a obra *Da clemência* verá como Sêneca formula uma teoria de governo autoritário, mas propondo a *clementia* como componente humanístico indispensável para que um governante tenha êxito no exercício do poder. Verá também que há um propósito mais específico: projetar a *clementia* como ideia-força para dar novo vigor ao regime governamental. Esta indigência Sêneca percebeu: a de que a monarquia de tipo absoluto necessitava de novas razões para se manter.

Observação

A escolha do texto latino para ser traduzido recaiu, muito naturalmente, na edição francesa, "Les Belles Lettres", porque nas bibliotecas brasileiras as edições bilíngues desta editora são as mais usadas e conhecidas, quer pela seriedade do estabelecimento do texto latino e seu aparato crítico, quer por tradição universitária. Contudo, o texto desta editora estabelecido por François Préchac[6] é bastante polêmico. Sua composição é diferente da do texto considerado tradicional[7], fato que será matéria de estudo da seção 2 (p. 20s.). Por coerência, conservamos a fidelidade ao texto de Préchac, mesmo nas ocasiões em que discordávamos de suas alterações, das glosas inseridas ou das supressões feitas. Não nos pareceu conveniente saltar de um texto latino para outro, a cada dificuldade. Foge aos propósitos deste trabalho, que é somente uma tradução, fazer um confronto entre os diversos manuscritos e muito menos estabelecer mais um outro texto latino. No entanto, caso se queira ler a tradução de acordo com o texto tradicional e não conforme o texto estabelecido por Préchac, estarão enumerados, antes da tradução, paralelamente, os capítulos segundo Préchac, a página do texto latino estabelecido por Préchac, a enumeração dos capítulos segundo o texto tradicional e, em seguida, a página da presente tradução.

1. A IDEOLOGIA

A atuação do filósofo Sêneca na política propriamente interna de Roma começou em 49 d.C., quando Agripina mandou chamá-lo do exílio da Córsega para ser o preceptor de seu filho Nero. Esta medida significava nada menos do que transferir a Sêneca a incumbência de preparar o jovem a ser o futuro soberano de Roma[8]. Daí em diante, temos o filósofo observando de muito perto as intrigas palacianas em torno do poder.

Sem entrar em maiores detalhes, fixemo-nos em dois momentos para melhor avaliar os esforços de Sêneca. Primeiro: em 54 d.C., Sêneca redigiu o discurso de posse de Nero[9]; segundo: em 56 d.C., por volta de um ano e meio depois, Sêneca escreveu o tratado *Da clemência,* endereçado a Nero[10].

O discurso de posse foi pronunciado por Nero diante do senado em um momento de transição difícil. Logo após tê-lo adotado, o Imperador Cláudio morrera em circunstâncias suspeitas. Agripina pretendia assegurar o trono para Nero. Embora Britânico, de 13 anos, fosse o filho legítimo de Cláudio, somente Nero, de 17 anos, deveria ser aclamado imperador. Além disso, a fórmula claudiana de poder absoluto não contava com as boas graças do senado. Ela seria ridicularizada pouco tempo depois na *Apocoloquintose* de Sêneca. Por isso é importante o discurso-programa. Tal como nos foi transmitido, traça, em linhas gerais, um projeto de governo de espírito renovador. Aparecem algumas tentativas de coibir os abusos praticados pelos imperadores anteriores. Propõe limitar a jurisdição legal do soberano, retornar a certos padrões morais antigos, restabelecer a diarquia *princeps-senatus,* estendendo ao senado parte de sua antiga autoridade republicana.

Ora, em menos de dois anos, em *Da clemência,* Sêneca não faz nenhuma referência a governo diárquico ou exercício de poder efetuado pelo senado. Também na área da jurisprudência, as funções do soberano estarão acima das leis e instituições. Esquecidas estão as promessas do discurso de posse. Isto nos faz suspeitar de que as experiências de governo adquiridas por Sêneca como *amicus principis* e *consul suffectus,* em 56, o levaram a acreditar que um despotismo filosófico, cuja fórmula doutrinária seria a *clementia,* pudesse conciliar os interesses dos súditos com a autoridade imperial. Propôs, então, um modelo de soberano autoritário, porém temperado por uma virtude à qual deu extraordinário significado, a *clementia.*

Evidentemente, esta *clementia* não é a simples indulgência um tanto afetiva como aparece na comédia latina, em Plauto e Terêncio[11], nem é a *clementia* de César, ou de Cícero, ou de Augusto.

Voltemos atrás e comecemos desde o início. Vejamos rapidamente a noção e o conceito de *clementia* em Roma, a fim de podermos constatar os acréscimos que Sêneca lhe conferiu.

Quanto à origem, tanto da noção como da palavra *clementia,* não se tem muita certeza.

Parece que a noção é antiga, mas dificilmente pode ser alinhada entre as grandes virtudes romanas ancestrais como *pietas, fides* e *constantia*[12]. Ela não seria uma propriedade do caráter do antigo romano que era um verdadeiro *uir seuerus et grauis*[13]. Se a *clementia* fosse uma característica da personalidade do primitivo romano, ela teria encontrado uma forma de expressar-se nas atividades diuturnas do romano ou teria descoberto um meio de ser valorizada pela propaganda popular[14].

Sobre a antiguidade da noção, temos referências em autores latinos, porém só da época de Cícero em diante. Por exemplo, Cícero menciona que Numa Pompílio viu na religião e na *clementia* "os dois melhores meios de assegurar a permanência do Estado"[15]. Metelo, nas cartas de Cícero, fala da *clementia* como *maiorum nostrum clementia*[16]. Tito Lívio faz referência à *clementia* como *uetustissimum morem*[17]. Aulo Gélio afirma que Catão a considerava *utilitas publica,* já por volta de 168 a.C.[18]

Seria a *clementia,* então, uma atitude política que poderia ter contribuído para a formação do Estado romano? Isto estaria de acordo com Virgílio quando afirma: "Tu, romano, lembra-te de que terás outras habilidades: impor teu império aos demais povos, as leis da paz, poupar os vencidos e submeter os soberbos"[19]. Exatamente esta era a característica da *clementia.* Deveria ser empregada a favor de inimigos vencidos, que teriam de ser obrigatoriamente estrangeiros, e quando trouxesse vantagens políticas para Roma, a fim de ampliar seu poderio. Portanto, o emprego da *clementia* se limitava ao âmbito da política externa de Roma.

Quanto à origem da palavra *clementia,* Ernout e Meillet não puderam comprovar o início do seu emprego na língua latina, nem precisar sua formação[20]. Pensam que deve ter havido influência tanto de *clino* como de *mens,* pois atestam os dois sentidos no adjetivo *clemens.* O primeiro sentido é de caráter físico, significando "em declive suave", "que se inclina suavemente". O segundo sentido é moral: "fácil", "que se deixa dobrar", "suave". É mais empregado com este sentido e é o que nos interessa, pois dele provém o substantivo *clementia.*

Seria, pois, a *clementia* uma palavra de origem grega? Sabemos que não é uma transcrição de palavra grega semelhante[21]. Na *Res Gestae,* por exemplo, o termo grego gravado nos monumentos que corresponde à *clementia* é επιείχεια[22]. Estudando esta questão, Weidauer[23], Wickert[24], Fuhrmann[25] e Griffin[26] chegaram à conclusão de que não há equivalente grego perfeito para a palavra *clementia* e os similares gregos que mais se aproximam do conceito romano são επιείχεια, φιλανθρωπία e πραότης.

Como as grandes ideias, a *clementia,* depois que apareceu na língua latina, foi recebendo acréscimos de novos momentos, alterou-se conforme as necessidades políticas, enriqueceu-se com as situações históricas e com o pensamento filosófico grego.

Assim, a *clementia* sofreu influência de um componente de origem peripatética através do ideal de μεγαλοψυχία, a *magnitudo animi*[27]. Esta corresponde à virtude do homem que individualmente está predisposto a realizar grandes ações[28]. Os romanos já conheciam o *magnus animus,* que, ligado à *fortitudo,* refletia o espírito de empenho e valentia nas batalhas. Agora, a *magnitudo animi* direciona os romanos para um objetivo maior e mais nobre. Deve ter ingressado no pensamento romano através de Panécio que também possibilitou a divulgação do ideal de *humanitas* em Roma[29]. A *humanitas* faz ressaltar no homem tudo aquilo que o caracteriza como ser humano e faz crer que o homem tem em si algo de grande e digno de valor[30].

Até então, o interesse do romano se satisfazia em alcançar a *uirtus*. Era a postura interior de um indivíduo, cujo ideal é corresponder a tudo o que o Estado espera dele. Deste modo, todas as realizações pessoais do romano eram levadas em consideração unicamente em relação à *res publica*, que lhe dava a verdadeira medida de seu desempenho. Daí o constante esforço do romano em obter *honores*, pois estes demonstravam a sua *uirtus*[31].

Ao assimilar o que há de humano na cultura grega, o romano passa a considerar a *uirtus* à luz de uma nova orientação e, da mesma forma, a *clementia* passa a ser considerada como virtude pessoal[32].

Porém, é César que dará importância política à *clementia* e a elevará a estatuto de virtude de governante. Durante as guerras civis romanas é surpreendente a generosidade que César estendeu a seus opositores. Chegou a oferecer postos de honra a inimigos vencidos, esquecendo as ofensas recebidas. Exerceu um tipo de *clementia* que é, ao mesmo tempo, meio para obter vitória e revelação de uma virtude pessoal inteiramente sua. César e as guerras civis permitiram que a *clementia* fosse transferida do seu emprego como habilidade da política externa para a política interna de Roma.

Embora Cícero tenha afirmado que "nada é mais digno de uma grande e nobre alma do que a benignidade e a clemência"[33], não chega a dar à *clementia* a importância que encontraremos em Sêneca. Para Cícero, as virtudes principais são *prudentia, iustitia, fortitudo* e *temperantia*[34]. Porém, Cícero é obrigado a prestar tributo a seu momento político e à situação histórica de Roma, resultando daí seus três discursos cesarianos: *Pro Marcello, Pro Ligario* e *Pro rege Deiotaro*. Nestes, Cícero, o republicano convicto, faz elogios à *clementia* de César, reconhecendo em César não só o seu poder absoluto, mas também a *clementia* como virtude de chefe de estado! Esta foi a solução encontrada por Cícero: admitir em César que teria destruído a república, uma virtude que deveria servir à preservação do Estado[35].

Com Augusto a *clementia* toma necessariamente outro caráter[36]. As guerras civis terminaram e a situação de Roma é totalmente diferente. A *libera res publica* findara. Por mais que Augusto se esforçasse por substituir as antigas conexões com a *res publica*, o desempenho dos magistrados e dos mais variados elementos do governo passaram a depender do seu modo de pensar. A *clementia* tem agora um outro significado. Como passa a ser marca determinante do soberano legítimo, não precisa mais ser a *noua ratio uincendi* de César, nem ser uma derivação da *temperantia* de Cícero, mas pode aproximar-se mais da *iustitia*, contudo ainda independente dela, pois não se caracterizou como um recurso da jurisprudência. Porém, não tenhamos ilusões, a *clementia* colocada no mesmo nível de *uirtus*, *iustitia* e *pietas*, como aparece na *Res Gestae* de Augusto[37], tem a pretensão de pertencer ao quadro das atitudes que prestigiam o soberano, propiciando o incipiente costume de cortejar o imperador.

Em Sêneca, a *clementia* atinge outro estatuto. É um desses conceitos que representam todo um processo ideológico no sentido de que, em *clementia*, temos um termo simples que apresenta diversas ideias. Ora é um atributo político de soberano, ora é uma medida exclusivamente jurídica, ora é uma virtude própria de um ser essencialmente humano. Na verdade, o conceito senequiano de *clementia* é um complicado mecanismo exatamente porque obedece a múltiplas intenções[38]. Nele encontramos a intenção pedagógica subjetiva de Sêneca, que é a formação do chefe de estado, mais a formulação teórica objetiva de considerar a *clementia* como um instrumento político de soberano e, ainda, um instrumento jurídico deste mesmo soberano.

Infelizmente a obra nos chegou incompleta, o que nos impede de melhor avaliar a *clementia* senequiana[39]. Mesmo assim, podemos verificar que se somam à *clementia* que já havia em Roma novas conotações à sua essência. A fim de seguir a linha de raciocínio de Sêneca, podemos reconstituir alguns passos para a conquista do seu conceito de *clementia.*

1. A proposta inicial é apresentar a *clementia* como virtude de soberano absoluto, na medida em que o chefe de estado tem suprema autoridade sobre todos os súditos, povos e nações. Contudo, se o autoritarismo do governante é deste nível, somente a *clementia* do soberano estabelecerá a profunda diferença que há entre um rei e um tirano[40].

2. A *clementia* garante a indissolubilidade do império. Porque o soberano é a *mens imperii,* as partes que compõem o Império Romano terão a confiança necessária para permanecerem unidas. A relação *caput-corpus* é proporcional à relação soberano-Estado: sem uma, a outra fenece[41]. Esse é o denominador prático, político, que corresponde a uma das intenções de Sêneca. Assim, a *clementia* não só é ornamento mais glorioso de um soberano, trazendo-lhe *honores,* mas também proporciona a maior segurança para a preservação do Estado.

3. A *clementia* tem algo da *natura deorum.* Como consta do proêmio do tratado, o soberano desempenha na terra o papel dos deuses, *uice deorum*[42]. Em primeiro lugar, porque, do mesmo modo como os deuses são prisioneiros do céu, o soberano também é prisioneiro de sua posição e, prin-

cipalmente, da repercussão pública de seus atos. Em segundo lugar, "se os deuses, que são pacíficos e justos, não perseguem imediatamente os delitos dos poderosos com seus raios, quão mais justo seria que o homem, colocado como preposto dos outros homens, exercesse o comando com espírito meigo e refletisse sobre qual dos dois aspectos do mundo seria mais agradável e mais belo a seus olhos: quando o dia é sereno e claro, ou quando é sacudido por incessantes trovoadas, e relâmpagos faíscam aqui e acolá! E a aparência de um império tranquilo e bem-estruturado outra coisa não é senão a de um céu sereno e brilhante"[43].

Resumindo, é este um conceito de poder segundo a filosofia política estoica: a autoridade, que domina o povo, retendo suas tendências anárquicas, contribuindo para ordenar o mundo, provém de sua própria grandeza e poder, que, por sua vez, pertencem aos deuses[44].

4. Quanto ao sentido da palavra *clementia*, pode-se perceber um movimento no decorrer da obra[45]. No proêmio e na terceira parte, é, de certa forma, semelhante à *misericordia*, lembrando um vago conceito de compaixão e contrapondo-se à *seueritas*. Ao contrário, na primeira e na segunda parte (que, na verdade, deveriam aparecer depois da terceira parte, conforme o texto tradicional), a *seueritas* tem qualidades positivas, combinando-se bem com a *clementia*. E a *misericordia* é considerada um defeito de alma: "A misericórdia é vizinha da miséria, pois tem e arrasta consigo algo dela. Saiba que são frágeis os olhos que se derramam em lágrimas diante de uma inflamação de olhos de outra pessoa; que é certamente fraqueza e não alegria estar sempre a sorrir para os sorridentes e, também, a abrir a boca diante do bocejo de todos. A misericórdia é uma fraqueza dos

espíritos excessivamente apavorados com a miséria e, se alguém exigir misericórdia de um sábio, estará bem próximo de exigir lamentação e gemidos em funerais de um estranho"[46].

5. A *magnitudo animi* não é uma virtude política, mas uma virtude de sábio da qual provém, entre outras virtudes, também a *clementia*[47]. A postura inquebrantável do sábio, uma atitude mista de *constantia* e *patientia,* faz com que o sábio não se deixe abater, nem se deixe atingir pelos azares do destino. Desta postura origina-se a *clementia,* que não faz parte da *magnitudo animi,* mas é proveniente dela. Deste modo, a *magnitudo animi* não é a virtude do soberano de Sêneca, ao passo que só a *clementia* o é. Resumindo, a *magnitudo animi* é acessível a qualquer ser humano que atinge a postura do sábio estoico e não se deixa perturbar por nada, mas a *clementia* não. Esta deve ser atributo de quem está no posto de comando de outros homens[48].

6. Sendo assim, o que é *clementia?* Antes de mais nada é um tipo de medida jurídica que leva em consideração que "tudo o que for além da equidade deveria pender para o lado mais humanitário"[49], justamente para não ocorrer que "a pior condição humana seja ser homem sob o jugo do homem"[50]. Este componente humanístico concretizar-se-á como uma predisposição (*inclinatio animi*) para a *temperantia,* a *lenitas* e a *moderatio* de quem deve aplicar o castigo.

São quatro as definições da *clementia:*

1ª) "A clemência é a temperança de espírito de quem tem o poder de castigar, ou a brandura de um superior perante um inferior ao estabelecer a penalidade"[51].

2ª) "... é a inclinação de espírito para a brandura ao executar a punição"[52].

3ª) "... a clemência é a moderação que retira alguma coisa de uma punição merecida e devida"[53].

4ª) "... é a clemência que faz desviar a punição pouco antes da execução que poderia ter sido estabelecida por merecimento"[54].

Portanto, a *clementia* estaria mais próxima de uma correção da lei cuja universalidade a fez imperfeita[55]. Seria uma espécie de justiça exercida por uma instância superior, de caráter humanitário, que lhe permite sobrepor-se às leis escritas pelos homens.

O modelo de soberano, tal como nos foi proposto por Sêneca, ficou como expectativa de que poderia estabilizar o regime imposto por Augusto. A *clementia* deste soberano, com seus componentes humanístico, político e jurídico, demonstra a preocupação do filósofo com a formação moral do chefe de estado. A *clementia,* apresentada deste modo, traduz o conteúdo ideológico que Sêneca quis introduzir no curto período histórico-político do Império Romano, enquanto teve influência. Esta é a originalidade do conceito senequiano de *clementia.* Caracterizou o famoso *quinquennium Neronis,* que fez lembrar a antiga *Pax Augusta.*

2. O ESTADO DO TEXTO LATINO

É frequente que os textos das obras escritas em latim suscitem muitas dúvidas de caráter filológico. Este tipo de problema torna-se bastante grave quando as discrepâncias podem afetar a estrutura da obra. É o que ocorre com o texto de *Da clemência.* Há uma grande controvérsia provocada por uma mutilação daquilo que definiria o assunto de uma das partes do tratado. A partir deste problema veremos como François Préchac estabeleceu o texto latino[56].

Antes de mais nada, é necessário que fique claro que existe um texto tradicional e existe um texto estabelecido por Préchac. Ambos apresentam todo o texto que restou, porém disposto de maneira diferente.

O texto tradicional teve sua edição *princeps* publicada em Nápoles, em 1475[57], junto com as demais obras em prosa de Sêneca. Normalmente, publicam-se os doze diálogos junto com *De Beneficiis* e *De clementia.* As edições mais importantes dos séculos XVI e XVII são as de Erasmo, J. Lipsius e J.F. Gronovius[58]; as do século XIX são de Haase[59], Gertz[60], Rossbach[61]; e as do início do século XX são de Hosius[62] e Buck[63].

O tratado tem início com um proêmio, em cujo final há um sumário dos assuntos que serão desenvolvidos. Este sumário estabelece também que a obra será dividida em três partes. Justamente aí reside o problema. A palavra ou conjunto de palavras que corresponderiam ao conteúdo do primeiro livro estão mutiladas. Restaram apenas algumas letras, que poderiam ser lidas como *manumissionis.* Se estas letras compusessem uma única palavra, significaria "liberação de um escravo"[64], que não teria nenhum sentido em relação ao contexto da obra. Seria difícil conciliar um tema proposto por *manumissionis* ou mesmo *manu missionis* com o assunto da primeira parte do tratado, que, em síntese, idealiza um modelo de chefe de estado autoritário, porém humano porque é clemente.

De acordo com o texto tradicional, o tratado deve ter sido escrito em três livros. A *diuisio* anuncia uma obra tripartida. Das três partes, os manuscritos[65] oferecem somente o livro I e os sete primeiros capítulos do livro II. O livro III está totalmente perdido[66]. Aliás, não se sabe, com toda a certeza, se parte da obra se perdeu ou se Sêneca jamais a concluiu. Do livro I, temos o texto completo e, maldefinido, o tema. Quanto ao livro II, o sumário reza que tratará da natureza da clemência e dos sinais que a diferenciam dos vícios. Mesmo inacabado, o assunto e o sumário conferem. O livro III, ainda segundo o sumário, tratará de ensinar, através de conselhos práticos, como se pode levar o espírito humano para o exercício da clemência. Deste livro nada restou.

A outra tese, a de François Préchac, afirma que a obra foi concluída. Na verdade, a diferença entre o texto tradicional e o texto de Préchac é de distribuição das partes na composição do tratado. Só que, segundo a primeira teoria, o texto não foi terminado e, conforme a outra teoria, está completo. Através do sumário, mesmo com a mutilação apresentada, Préchac assegura que é possível encontrar a verdadeira ordem da obra e, encontrando esta ordem, obter o tratado inteiro e perceber a intenção do autor[67].

Engenhosamente, Préchac tentou resolver os dois problemas fundamentais para sua teoria: a tripartição da obra, proposta pelo sumário, e o mistério subjacente à leitura duvidosa de *manumissionis,* que define o assunto do primeiro livro.

Solucionou a tripartição do tratado com relativa facilidade, por meio da transposição do livro II, da sua posição original para o interior do livro I, logo depois do sumário, no capítulo I,3,1 do texto tradicional. Depois, dividiu este mesmo livro II em duas partes, de modo a obter uma Primeira Parte e uma Segunda Parte. A Terceira Parte de sua tese é o livro I, completo, do texto original[68]. Assim, temos, respeitando o sumário, uma obra inteira, porém contendo, agora, três partes.

Contudo, isto não resolveria o problema. O difícil seria ajustar as partes da obra aos assuntos propostos pelo sumário. Como se sabe, a Primeira Parte se esconde sob um título, do qual só temos a mutilação *manumissionis.* Conforme

Préchac, o elemento *manu* se encontra nitidamente separado das outras letras[69]. Na tentativa de sair do impasse, Préchac fez duas suposições: *missionis* corresponderia a um genitivo explicativo ou um genitivo de dedicatória. No caso de considerá-lo genitivo explicativo, as transformações sofridas poderiam ser *manu missionis* = *tui animi* <remi> *ssionis* = *remissio animi* = "tensão moral"[70]. No caso de supô-lo genitivo de dedicatória, as transformações ocorridas poderiam ser *manu missionis* = *umani ssimi n(er)o(n) is* - *humanissimi Neronis* = "da grande humanidade de Nero"[71]. Optou pela segunda correção. Assim, a Primeira Parte passa a ter o seu assunto definido. Tratará da grande humanidade de Nero[72]. A Segunda Parte discorrerá sobre a natureza e as delimitações da clemência e, de fato, nos capítulos desta parte, há uma série de definições da clemência. A Terceira Parte proporá a clemência como a virtude mais conveniente para o soberano e a maneira de como incorporá-la para que ele possa exercer um bom governo. Esta adaptação é forçada e será comentada mais adiante[73].

Nas partes dispostas desta maneira[74], Préchac encontrou uma ordenação lógica[75] dos assuntos tratados na obra, ao procurar identificar a Primeira e a Terceira Partes. A fim de inclinar Nero à virtude da clemência, Sêneca invoca razões de ordem moral (Primeira Parte) e razões de ordem utilitária (Terceira Parte)[76]. Assim a Primeira Parte pretende demonstrar que a clemência é uma virtude essencialmente humana, própria de sábio que não se deixa seduzir pela piedade que, afinal, corresponde a um estado mórbido da alma[77]. A Terceira Parte contém uma *perductio animi*, tem como objetivo conduzir a alma à clemência, ligando esta virtude à sabedoria, à justiça e à grandeza de alma. Por ser uma virtude é uma ciência, podendo, pois, ser aprendida[78].

Segundo Préchac esta linha de raciocínio seria a verdadeira e, o que é mais importante, prenderia Nero à reputação de clemente[79].

A tese de Préchac tem o mérito de se apoiar na pesquisa direta dos principais manuscritos que contêm *Da clemência*[80]. Estudou-os, ao que parece, exaustivamente, e em especial uma reprodução em branco e preto do que considerou o mais importante deles, o *Nazarianus* (N)[81]. Este manuscrito constitui-se de 19 cadernos desiguais, contendo 148 folhas ao todo. Comporta duas obras de Sêneca: *De Beneficiis* e *De clementia.* A primeira obra requisitou 16 volumes, duas folhas do 17º volume, e mais parte da folha seguinte. Só depois é que começa *De clementia,* na 125ª folha, ocupando o restante do 17º caderno e os 18º e 19º cadernos[82]. A pesquisa nos manuscritos feita por Préchac, amplamente documentada, o levou a afirmar que todos derivam de um só, de *N(azarianus)*[83], pois lacunas e alterações que aparecem nos *deteriores* estão também em *N*[84].

Para certificar-se de que o texto nos chegou íntegro, Préchac pesquisou extratos, paráfrases e florilégios da Idade Média e do Renascimento[85]; alusões, elogios e reminiscências nos escritos dos panegiristas[86]; investigou o episódio de Cina na obra de Dião Cássio[87]; confrontou os passos da tragédia *Octauia* que fazem menção à clemência[88]. Chegou à conclusão de que não há ideias novas ou diferentes das que se encontram na obra de Sêneca. Por esta razão, não deveria haver empréstimos que pudessem pertencer à parte considerada perdida. De concreto nada faz supor a possibilidade de a obra não ser tal como nos foi transmitida. A Antiguidade e a Idade Média tiveram acesso somente ao que conhecemos da obra. O tratado jamais foi mais longo do que o atualmente existente. Houve apenas uma deslocação das partes da obra[89].

As objeções não tardaram a aparecer e em 1923 Eugène Albertini, em seu livro *La composition dans les ouvrages philosophiques de Sénèque*[90], não concorda com Préchac. Quanto aos argumentos de que a obra estaria completa, refuta afirmando que seria impossível reconhecer quaisquer empréstimos feitos a partir das partes perdidas de *De clementia*[91]. Como identificá-los?

Mas o que realmente não aceita é a correspondência entre o tema e o conteúdo da Terceira Parte, isto é, entre o assunto proposto e os capítulos 3 a 26, pertencentes ao livro I, do texto tradicional. Segundo o sumário, a Terceira Parte trataria de "... como a alma seria levada à virtude da clemência, como a consolidaria e a faria sua pelo uso"[92]. Assim, para que Préchac tivesse razão seria necessário que o significado da palavra *usus* fosse "consideração", "interesses", "vantagens". Para Albertini, o significado de *usus* é "prática", experiência", "hábito". Além disso, se, por analogia, fosse observada a mesma simetria de composição dos livros II e III da obra *De ira,* de Sêneca, dever-se-ia esperar uma Terceira Parte constituída de conselhos práticos, advertências pedagógicas e terapêuticas[93]. Nada disto se encontra no tratado.

Albertini julga, ainda, que é materialmente impossível terem ocorrido as translocações das partes da obra, conforme as conjeturas de Préchac[94]. Ademais, supõe que, tendo Sêneca já escrito outras obras dissertativas anteriores, certamente não lhe faltaria um plano preestabelecido. Até certo ponto o tratado tem características que mais se assemelham a um manifesto político, quase uma declaração ministerial, e, quando se escreve documento deste teor, sabe-se com antecipação o que se vai fazer e não é de se esperar um plano truncado[95].

Em 1928, Paul Faider, ao apresentar sua introdução à *De clementia*[96], aponta suas reservas quanto à reconstituição do texto segundo a hipótese de Préchac.

Em 1934, examinando a mutilação de *manu missionis,* Léon Herrmann propõe uma outra leitura: *(sanguinis hu) mani missionis,* pois pareceu-lhe que Sêneca, no livro I do texto tradicional, queria demonstrar que "efusão de sangue humano" deveria ser feita com parcimônia e somente quando o bem público o exigisse[97].

Em 1949 e 1950 foram publicados dois artigos de Pierre Grimal sobre a composição de dois diálogos de Sêneca[98]. Embora não tenha examinado *De clementia* em particular, Grimal preparou caminho para uma nova visão da composição das obras em prosa de Sêneca, ao defender que os diálogos obedecem a uma composição nitidamente semelhante à das obras do gênero retórico. Em *De constantia sapientis,* encontrou as seguintes partes: *exordium, narratio, propositio, diuisio, argumentatio, peroratio*[99], em *De prouidentia: exordium, narratio, propositio, diuisio, confirmatio*[100]. Estas observações dão um passo à frente quanto ao entendimento estrutural dos diálogos de Sêneca. Isto porque contraria as afirmações de Albertini, que estudara o conteúdo de todas as obras em prosa de Sêneca e analisara as partes de cada uma delas, levando-o a afirmar que Sêneca compunha mal e que as partes constituintes de seus diálogos não eram provenientes de uma síntese; formavam um mosaico de trechos brilhantes, mas, justapostos, não se fundem em um todo orgânico[101].

Em 1950, Frank Weidauer abandonou o costume de interpretar *De clementia* levando em consideração unicamente as contradições entre as atitudes pessoais de Sêneca e sua postura como filósofo estoico. Passou a estudar a obra como uma manifestação de um pensador romano preocupado com os problemas políticos de Roma. Conseguiu, assim, extrair de sua análise toda uma teoria do principado. A tese principal de Weidauer é considerar que Sêneca propôs a clemência como uma virtude de soberano de tal modo a tentar a reconciliação dos romanos com a ideia do poder absoluto, realçando que as tarefas e deveres de um soberano clemente sempre revertem para o bem público[102]. Segundo seu raciocínio, o estado do texto latino, completo ou incompleto, é irrelevante.

De 1953 a 1956, Francesco Giancotti, numa série de artigos[103], tratou com renovada energia dos principais problemas de *De clementia*. A respeito da mutilação *manu missionis*, Giancotti, com muita sensatez, diz haver duas possibilidades. Ou este passo obscuro esconde uma indicação sumária do conteúdo da primeira parte e pode ser definido e analisado por nós, diretamente a partir do texto, ou esconde uma indicação que não corresponde à primeira parte atual, isto é, traça uma intenção não realizada e, portanto, não tem valor fundamental para o exame da estrutura, que deve basear-se sobre a realidade e não sobre a intenção[104].

Em 1963, Manfred Fuhrmann escreveu um artigo[105] sobre o poder monárquico e o problema da justiça, focalizando, pela primeira vez, *De clementia* sob o aspecto jurídico. Apesar de considerar o conteúdo do livro I, da tese tradicional, desfigurado pela mutilação de *manu missionis*, encontrou coerência na obra conforme a versão tradicional. O livro I apresenta o conceito político de principado, mais precisamente, do principado romano, e o que restou do livro II, o conceito jurídico-legal, definindo os instrumentos legais fornecidos pela filosofia grega como aptos a serem exercidos por qualquer sistema político.

Em 1966, Augustin López Kindler[106] descarta a possibilidade do livro único conforme a hipótese de Préchac, fazendo um estudo comparativo da colocação dos vocativos destinatários que aparecem tanto em *De clementia* quanto nas demais obras em prosa de Sêneca. Concentrando-se principalmente na comparação entre duas de suas obras, *De ira* e *De clementia,* observou paralelismo e regularidade na posição dos vocativos: sempre no começo de cada livro ou nas páginas em que o autor retoma o tema original, após prolongada digressão[107]. Circunstância técnica que o fez aprovar as sugestões de Grimal[108] e admitir que Sêneca, ao escrever *De clementia,* não deixou de seguir, em linhas gerais, o esquema tradicional dos tratados retóricos. Por esta razão, uma vez anunciada a divisão da obra em três partes, ao contrário da teoria de Préchac, deve-se esperar um paralelismo proporcional na construção das mesmas[109].

Em 1970, Karl Büchner escreveu artigo[110] que continha severas críticas ao trabalho de Fuhrmann. Sem também admitir a teoria de Préchac como verdadeira, pondera que são três os problemas que pairam sobre a obra, cada um pendente do outro: a mutilação da palavra *manu missionis,* diante da qual continuamos impotentes; a dúvida sobre estar a obra completa ou não; e o significado semântico da palavra *clementia,* que está a esperar um estudo sério que definiria o conteúdo e a composição da obra, pois parece-lhe que não pode estar desvinculado dos dois.

Para Büchner, que não concorda com a investigação feita por Fuhrmann totalmente voltada para a jurisprudência, a *clementia* tem conotação humanística. Assim, o conceito de clemência de Sêneca está ligado à virtude[111], que deve ser exercida pelo sábio[112]. O emprego da clemência é ilimitado e nada tem a ver com processos penais, princípios de direito e circunstâncias atenuantes[113]. A clemência de Sêneca deve ser vista como um conceito político e não judicial. Na verdade, apresenta a clemência como a mais humana das virtudes. Comparando *manu* com uma mutilação que também aparece em Cícero (de Leg. 2,28), lida como *humanae,* propõe que se poderia pensar numa leitura de *manu missionis* como *humanae condicionis,* pois entende ser esta a linha de pensamento que concretiza o sentido do livro I do tratado[114].

Em 1970, embora Traute Adam tivesse sua tese publicada em janeiro[115], antes do artigo de K. Büchner, só a mencionamos agora porque parece responder, em parte, às exigências de Büchner, pois apresenta minuciosa investigação justamente sobre o conceito de clemência. Ela pesquisou a origem deste conceito desde o século IV a.C., na época clássica grega. Analisou, ainda, a clemência à luz das teorias filosóficas gregas, desde a sofística, que introduziu a ideia monárquica na Grécia Clássica[116]. Adam concorda com Fuhrmann sobre a conotação jurídica da clemência; contudo, como a obra apresenta, também, um conceito de clemência de caráter político, pensa que os dois conceitos, o político de principado do livro I e o jurídico-legal da clemência do livro II, são conflitantes. Esta é a razão pela qual Sêneca deixou a obra incompleta: não soube harmonizá-los[117].

Em 1973, Bernard Mortureux procedeu, pela primeira vez, ao exame metódico e objetivo da obra[118]. Examinou o vocabulário do livro I, do texto tradicional, e descobriu que, quanto ao conteúdo, dividia-se em partes correspondentes às partes de um tratado do gênero retórico, como já fizeram Grimal e López Kindler[119]. Sua inovação foi contar o número de palavras de cada uma destas partes e verificar que havia equivalência numérica das palavras e das partes. Descobriu, ainda mais, que estas partes formavam um todo harmônico, já que apareciam em conjuntos binários, encontrando equivalência entre o número de palavras de cada parte que compunha estes conjuntos. Enquanto Albertini havia feito uma análise linear da obra[120], apresentando as ideias de Sêneca como se estivessem num mesmo plano, sem hierarquia de pensamentos, Mortureux observou uma arquitetura de obra sabiamente construída, de modo a parecer um todo dinâmico, com progressão viva de raciocínio.

Seu esquema[121], resumido, aparece nesta disposição[122], de modo a se poder observar o paralelismo e equivalência numérica entre as partes:

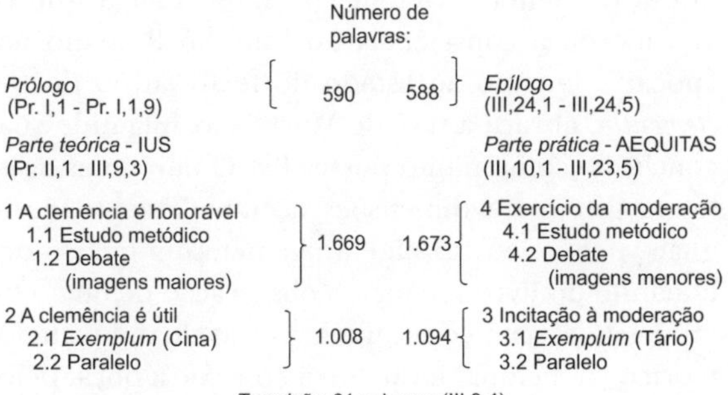

O rigor da tese de Mortureux leva a crer que o livro I da tese tradicional está completo e que temos somente parte do livro II. Quanto à mutilação de *manumissionis,* Mortureux renuncia a criticar o seu significado. Até que apareçam novos elementos, concorda com as observações de Giancotti[123], mencionadas acima.

Em 1976, Miriam T. Griffin, em vasto e abrangente estudo sobre Sêneca[124], considera como muito provável que ele tenha deixado a obra inacabada porque não acredita que o filósofo dispenderia mais esforços com o tratado diante da carreira nefasta posterior de Nero[125]. Griffin crê que é difícil imaginar de que maneira Sêneca poderia conduzir convenientemente o assunto do livro III. Caso se observasse a mesma construção de *De ira*, seria de esperar nesta parte do tratado recomendações minuciosas sobre diversos assuntos como amigos, conselheiros, educação, e múltiplos exemplos de outros reis. Porém, como relatá-los a Nero com o tato necessário? Portanto, Griffin supõe que seja muito mais plausível que a obra nunca tenha sido terminada[126].

Em 1979, Pierre Grimal publicou outra biografia de Sêneca. Deu-lhe tal importância que o considerou a consciência do Império Romano na época[127]. Quanto ao estado do texto latino de *De clementia*, abraça a tese de Mortureux julgando sua conclusão como muito possível[128]. O fato de os dois livros serem de dimensões acentuadamente desiguais, pois o livro II não atinge nem um quarto do tamanho do livro I, e mais a observação de que o livro I está escrito com características de um tratado teórico tradicional levam-no a crer que a obra, pelo menos no estado em que a conhecemos, parece estar incompleta[129].

Em resumo, o texto latino de *Da clemência* tem sido objeto de contínua preocupação da investigação científica. A prudência recomenda que se fique em compasso de espera até que a curiosidade do homem tenha feito novas descobertas que possam dar informações mais seguras.

ÍNDICE COMPARATIVO

Partes Préchac	Capítulo Préchac	Página Préchac	Capítulo Tradicional	Tradução
SEGUNDA PARTE	III,3	11/12	II,5,3	46
	III,4	12	II,5,4	47
	III,5	12	II,5,5	47
	IV,1	12	II,6,1	47
	IV,2	12/13	II,6,2	47
	IV,3	13	II,6,3	47
	IV,4	13/14	II,6,4	48
	V,1	14	II,7,1	48
	V,2	14	II,7,2	48
	V,3	15	II,7,3	48
	V,4	15	II,7,4	49
	V,5	15	II,7,5	49
TERCEIRA PARTE	I,1 (rep.)	15	I,3,1	49
	I,2	16	I,3,2	49
	I,3	16	I,3,3	50
	I,4	16/17	I,3,4	50
	I,5	17	I,3,5	50
	II,1	17	I,4,1	51
	II,2	17/18	I,4,2	51
	II,3	18	I,4,3	51
	III,1	18	I,5,1	52
	III,2	18/19	I,5,2	52
	III,3	19	I,5,3	52
	III,4	19	I,5,4	52
	III,5	19/20	I,5,5	53
	III,6	20	I,5,6	53
	III,7	20	I,5,7	53
	IV,1	20	I,6,1	53
	IV,2	20/21	I,6,2	54

IV,3	21	I,6,3	54
IV,4	21	I,6,4	54
V,1	21	I,7,1	54
V,2	21	I,7,2	54
V,3	22	I,7,3	54
V,4	22	I,7,4	55
VI,1	22	I,8,1	55
VI,2	22/23	I,8,2	55
VI,3	23	I,8,3	55
VI,4	23	I,8,4	56
VI,5	23	I,8,5	56
VI,6	23/24	I,8,6	56
VI,7	24	I,8,7	56
VII,1	24	I,9,1	56
VII,2	24	I,9,2	57
VII,3	24/25	I,9,3	57
VII,4	25	I,9,4	57
VII,5	25	I,9,5	58
VII,6	25	I,9,6	58
VII,7	25/26	I,9,7	58
VII,8	26	I,9,8	58
VII,9	26	I,9,9	59
VII,10	26/27	I,9,10	59
VII,11	27	I,9,11	59
VII,12	27	I,9,12	59
VIII,1	27	I,10,1	59
VIII,2	27/28	I,10,2	60
VIII,3	28	I,10,3	60
VIII,4	28	I,10,4	61
IX,1	28	I,11,1	61
IX,2	28/29	I,11,2	61
IX,3	29	I,11,3	62
IX,4	29	I,11,4	62

Partes Préchac	Capítulo Préchac	Página Préchac	Capítulo Tradicional	Tradução
TERCEIRA PARTE	X,1	30	I,12,1	62
	X,2	30	I,12,2	63
	X,3	30/31	I,12,3	63
	X,4	31	I,12,4	63
	X,5	31	I,12,5	63
	XI,1	31/32	I,13,1	64
	XI,2	32	I,13,2	64
	XI,3	32	I,13,3	64
	XI,4	32/33	I,13,4	64
	XI,5	33	I,13,5	65
	XII,1	33	I,14,1	65
	XII,2	33/34	I,14,2	65
	XII,3	34	I,14,3	65
	XIII,1	34	I,15,1	66
	XIII,2	34	I,15,2	66
	XIII,3	34/35	I,15,3	66
	XIII,4	35	I,15,4	66
	XIII,5	35	I,15,5	66
	XIII,6	35	I,15,6	66
	XIII,7	35	I,15,7	67
	XIV,1	35/36	I,16,1	67
	XIV,2	36	I,16,2	67
	XIV,3	36	I,16,3	67
	XIV,4	36	I,16,4	67
	XIV,5	36	I,16,5	67
	XV,1	37	I,17,1	68
	XV,2	37	I,17,2	68
	XV,3	37	I,17,3	68
	XVI,1	37	I,18,1	68

XVI,2	37/38	I,18,2	69
XVI,3	38	I,18,3	69
XVII,1	38	I,19,1	69
XVII,2	38/39	I,19,2	69
XVII,3	39	I,19,3	70
XVII,4	39	I,19,4	70
XVII,5	39/40	I,19,5	70
XVII,6	40	I,19,6	70
XVII,7	40	I,19,7	70
XVII,8	40	I,19,8	71
XVII,9	40	I,19,9	71
XVIII,1	41	I,20,1	71
XVIII,2	41	I,20,2	71
XVIII,3	41	I,20,3	71
XIX,1	41	I,21,1	72
XIX,2	41/42	I,21,2	72
XIX,3	42	I,21,3	72
XIX,4	42	I,21,4	72
XX,1	42/43	I,22,1	73
XX,2	43	I,22,2	73
XX,3	43	I,22,3	73
XXI,1	43	I,23,1	73
XXI,2	43/44	I,23,2	73
XXII,1	44	I,24,1	74
XXII,2	44	I,24,2	74
XXIII,1	44/45	I,25,1	74
XXIII,2	45	I,25,2	74
XXIII,3	45	I,25,3	75
XXIII,4	45/46	I,25,4	75
XXIII,5	46	I,25,5	75
XXIV,1	46	I,26,1	75
XXIV,2	46/47	I,26,2	75

Partes Préchac	Capítulo Préchac	Página Préchac	Capítulo Tradicional	Tradução
TERCEIRA PARTE	XXIV,3	47	I,26,3	76
	XXIV,4	47	I,26,4	76
	XXIV,5	47	I,26,5	76

Tratado sobre a clemência

PROÊMIO

I,1. Dispus-me a escrever a respeito da clemência, ó Nero César, para que eu, de certa forma, desempenhasse a função de espelho[1] e te mostrasse a tua pessoa como a que há de vir para a maior de todas as satisfações. Pois, ainda que o verdadeiro proveito das ações esteja em tê-las realizado corretamente e nenhuma recompensa digna das virtudes seja nada além das próprias virtudes, é bom inspecionar e andar às voltas com a boa consciência[2] e, depois, lançar os olhos sobre esta imensa multidão discordante, sediciosa e descontrolada – pronta para se precipitar igualmente para a sua perdição como para a alheia, se romper o seu jugo – e falar consigo mesmo palavras deste teor:

2. "Será que por acaso eu, entre todos os mortais, agradei e fui eleito[3] para desempenhar na terra o papel dos deuses? Eu sou o árbitro de vida e de morte desta gente. Está em minhas mãos a qualidade da sorte e da posição que cabe a cada pessoa. Por minha boca, a Fortuna anuncia o que deseja que se reserve a cada mortal. A partir de nossa resposta[4], povos e cidades reúnem motivos de regozijo. Nenhuma região jamais floresce a não ser com minha aprovação e condescendência. Todos

estes milhares de espadas, que a minha Paz reprime, serão desembainhados a um simples aceno meu. Que[5] nações conviria que fossem arrasadas até os alicerces, quais as que conviria que fossem transferidas, a quais se daria liberdade e de quais se arrebataria essa mesma liberdade, que reis se tornariam vassalos e quais as cabeças que conviria coroar com honras reais, que cidades se demoliriam e quais as que se construiriam, tudo é da alçada do meu legal parecer.

3. Diante de tantos poderes, nada me impeliu a suplícios iníquos, nem a cólera, nem o ímpeto juvenil, nem a imprudência dos homens ou a obstinação que, muitas vezes, acaba com a paciência dos corações mais tranquilos, nem esta arrogância nefasta de ostentar poder por meio do terror, mas frequente nos grandes impérios. Embainhada, ou melhor, manietada, minha espada permanece junto de mim. Até o sangue mais humilde estou poupando com extrema parcimônia. Junto a mim, todo homem, mesmo aquele a quem tudo falta, é agraciado com o nome de homem.

4. Mantenho minha severidade resguardada, porém a clemência de prontidão. Assim, contenho-me como se eu tivesse de prestar contas às Leis[6] que, do abandono e das trevas, chamei à luz. Deixei-me comover pela pouca idade de uns e pela muita idade de outros. Recompensei alguns por sua dignidade e outros por sua humildade. Todas as vezes que não encontrara nenhum motivo de compaixão, poupei por minha conta. Hoje, se os deuses imortais me requisitarem uma prestação de contas, estarei apto a apresentar-lhes o número total da raça humana".

5. César, podes anunciar galhardamente que todas as coisas que vieram confiadas a tua guarda e tutela são consideradas seguras; que, por teu intermédio, nada de mau se prepara contra o Estado, nem pela violência, nem em segredo[7].

Cobiçaste uma distinção bastante rara e que até agora não se concedeu a príncipe nenhum, a inocência. Esta singular bondade não pôs a perder tua obra, nem encontrou avaliadores ingratos ou maldosos. Adquiriste este reconhecimento: nunca um homem foi tão caro a outro homem quanto tu és ao povo romano, seu único e duradouro bem.

6. Mas tu te impuseste um enorme encargo. Ninguém fala mais do divino Augusto, nem dos primeiros tempos de Tibério César[8], nem, querendo imitar um modelo, procura outro além do teu: avalia-se o teu principado por esta prova. Isto teria sido difícil, se a bondade não fosse natural em ti, mas encenada de vez em quando. Pois ninguém pode sustentar uma máscara durante longo tempo. Muito cedo, as coisas fingidas recaem em sua própria natureza. Sob cada uma delas existe alguma verdade e, como eu diria, brotam a partir desta sólida substância e, em seu devido tempo, desenvolvem-se em algo maior e melhor.

7. O povo romano enfrentava um grande risco, quando lhe parecia incerto para onde se voltaria tua nobre índole. Agora, os votos públicos[9] estão em segurança, pois não existe perigo de que, subitamente, te esqueças de tua natureza. Decerto, bonança excessiva faz os homens vorazes, e as cobiças jamais são tão moderadas que terminem com aquilo que aconteceu. Caminha-se de grandes cobiças para maiores e os que foram ao encalço de coisas inesperadas se agarram às mais falsas esperanças. Todavia, hoje, a todos os teus cidadãos obriga-se a confessar que são felizes e que já nada mais se pode acrescentar às suas venturas, exceto que sejam permanentes.

8. Muitas razões levam teus cidadãos a esta confissão, nenhuma outra é mais demorada entre os homens: uma segurança profunda, contínua; um direito colocado acima de toda injustiça; além disso, uma forma[10] de Estado que se mostra

aos nossos olhos como muito satisfatória, Estado ao qual nada falta para a liberdade [11] absoluta, exceto a licença de se destruir.

9. Entretanto, antes de tudo, aos poderosos e aos insignificantes, sobrevém-lhes igual admiração pela tua clemência; pois cada um sente e espera menores ou maiores bens de acordo com a porção de sua sorte, porém da clemência todos esperam o mesmo quinhão. E não existe ninguém que esteja tão exageradamente satisfeito com a sua inocência que não se alegre por estar a Clemência[12] à vista, preparada para velar sobre os erros humanos.

II,1. Sei, todavia, da existência de alguns que acreditam ser a Clemência sustentáculo da pior classe de homens, visto que, sem crime, é supérflua: é a única virtude que se retrai entre pessoas inocentes. Mas, antes de tudo, assim como o uso da medicina é objeto de respeito entre os doentes e também entre os que gozam de saúde, assim a Clemência, embora sejam os dignos de castigo que a invocam, os inocentes também a cultuam. E depois, na pessoa[13] dos inocentes, ela tem também o seu espaço, porque, às vezes, o acaso os faz tomar o lugar de um culpado. Não é só a inocência que a clemência socorre, mas, muitas vezes, a própria virtude, porquanto, realmente, nas condições de nossos tempos, ocorrem alguns incidentes que, embora possam ser louváveis, são punidos. Acrescenta a existência de uma grande parte de homens que poderiam ser reconduzidos à inocência, se os perdoasse.

2. Contudo, não convém fazer uso trivial do perdão, pois, ao suprimir-se a diferença entre o bem e o mal, a consequência é a confusão e a explosão dos vícios. Assim, deve-se acrescentar uma moderação que permita distinguir caracteres sadios de doentios.

E não é oportuno ter uma clemência promíscua e banal, nem uma clemência inacessível, pois tanto é cruel perdoar a todos quanto a nenhum. Devemos manter um padrão, mas como todo comedimento é difícil, tudo o que for além da equidade deverá pender para o lado mais humanitário.

3. Porém, estas considerações serão comentadas em lugar mais apropriado. De momento, dividirei toda esta matéria em três partes. A primeira tratará da grande humanidade de Nero[14]. A segunda demonstrará a natureza e apresentação da clemência, pois, como existem certos defeitos que parecem virtudes, não se pode separá-los a não ser que lhes demarques os sinais com os quais se diferenciem. Em terceiro lugar, investigaremos como a alma é levada à virtude da clemência, como a consolida e a faz sua pelo uso.

PRIMEIRA PARTE

I. (II,1.) 1. Para que eu escrevesse acerca da clemência, forçou-me, sobretudo, um único pronunciamento teu, Nero César. Lembro-me, quando foi dito, de ter ouvido, não sem admiração e, em seguida, de ter repetido a outros o pronunciamento generoso, de grande alma, de grande brandura, que, não tendo sido premeditado nem proferido para ouvidos estranhos, brotou repentinamente e revelou ao público a tua bondade em disputa com a tua posição.

2. No momento em que ia condenar dois ladrões, Burro, o teu prefeito, homem ilustre e nascido para servir-te como seu príncipe, exigia de ti que escrevesses os nomes dos condenados e por que motivos querias a condenação. Ele insistia para que, finalmente, fizesses aquilo que era sempre postergado. Quando ele, constrangido, apresentara o documento e o entregava a ti, também constrangido exclamaste: "Gostaria de não saber escrever!"[15]

3. Que pronunciamento digno! Que pudessem ouvi-lo todos os povos que habitam o

Império Romano, cada um dos povos de duvidosa liberdade que se estendem, ao longo de nossas fronteiras, cada um dos que se levantam contra o império com violência e paixão. Que pronunciamento digno de ser endereçado a todas as reuniões de mortais e em cujas palavras príncipes e reis deveriam encontrar a fórmula de juramento! Que pronunciamento digno da inocência universal do gênero humano e ao qual seriam devolvidos os séculos primitivos!

4. Sem dúvida, agora, uma vez que se removeu a cobiça do alheio, origem de todos os males da alma, convinha pôr-se de acordo com a equidade e o bem, fazer ressurgir a piedade e a integridade junto à lealdade e à modéstia, e fazer os males praticados em longo período de soberania, finalmente, darem lugar a um século de felicidade e pureza.

II. (II,2.) 1. Apraz, César, esperar e confiar em que, em grande parte, isto venha a ocorrer. Esta mansidão de teu espírito se propagará e, paulatinamente, se difundirá por todo o vasto território do teu império, e todas as partes reunidas se configurarão à semelhança tua[16]. Da cabeça provém a saúde que se espalha por todas as partes do corpo. Todas são vigorosas e aprumadas, ou prostradas pela debilidade, conforme vive ou fenece o espírito delas. Haverá cidadãos e haverá aliados dignos desta bondade e, em todo o mundo, a retidão de costumes retornará. Por tuas mãos, poupar-se-á em toda parte.

2. Permite que eu me delongue um pouco mais sobre este ponto, não para bajular teus ouvidos (pois não é este o meu costume; eu preferiria ofender com verdades a agradar adulando)[17]. Então por quê? Além de desejar que estejas o mais familiarizado possível com teus bons atos e palavras, para que se torne preceito o que hoje é natural e impulsivo em ti, reflito comigo mesmo que se transmitiram na so-

ciedade humana muitas sentenças grandiloquentes, consideradas verdadeiras e vulgarmente célebres, mas abomináveis, como a famosa "Que me odeiem, contanto que me temam"[18], que é semelhante ao verso grego daquele que ordena à terra que se inflame quando ele morrer, e outros ditos congêneres.

3. Não sei como, sobre um assunto tão medonho e desagradável, os talentos mais fecundos puderam expressar pensamentos veementes e vibrantes. Ao passo que, até hoje, sobre a bondade e brandura nunca ouvi uma palavra arrebatada. Então, o que ocorre? Mesmo em raras ocasiões, apesar de contra tua vontade e com grande relutância, algum dia é necessário escreveres algo que te leve a odiar as letras, mas, como estás fazendo, com grande relutância e muitas hesitações.

SEGUNDA PARTE

I. (II,3.) 1. E para que o vistoso nome de clemência porventura não nos venha a enganar alguma vez e nos desvie para uma direção contrária, vejamos o que é a clemência, qual a sua natureza e quais seus limites.

A clemência é a temperança de espírito de quem tem o poder de castigar ou, ainda, a brandura de um superior perante um inferior ao estabelecer a penalidade. É mais seguro propor muitas definições para que uma só não contenha pouco conteúdo e, como eu diria, sua conceituação se perca. Pode-se dizer desta maneira: é a inclinação do espírito para a brandura ao executar a punição.

2. Esta outra definição encontrará objeções, embora se aproxime bastante da verdade, se dissermos que a clemência é a moderação que retira alguma coisa de uma punição merecida e devida.

Reclamar-se-á que nenhuma outra virtude faz a ninguém menos do que lhe é devido. Mas, de qualquer maneira, todos entendem o seguinte: é a clemência que faz desviar a punição pouco antes da execução que poderia ter sido estabelecida por merecimento.

II. (II,4.) 1. Os inexperientes julgam a severidade como o contrário da clemência, mas jamais uma virtude é contrária a outra virtude. O que, pois, é o oposto da clemência? É a crueldade, que nada mais é do que a dureza de alma ao executar punições. "Mas existem alguns que não executam punições e, contudo, são cruéis, como os que matam pessoas desconhecidas com quem se encontram, sem nenhum lucro, somente pelo pretexto de matar e, não satisfeitos em matá-los, seviciam, como os famosos Busíris[19] e Procrustes[20], e os piratas que chicoteiam seus prisioneiros e os atiram vivos ao fogo".

2. Sem dúvida, isto é crueldade; mas, porque não a acompanha a vingança (pois não foi ofendida) nem se enraivece com o delito de outrem (pois nenhum crime a precedeu), escapa da nossa definição. Pois a definição continha intemperança de espírito no ato de atribuir penas. Podemos dizer que isto não é crueldade, mas ferocidade de quem tem prazer em seviciar. Podemos dar-lhe o nome de loucura, porquanto existem vários tipos de insanidade, mas nenhuma é mais declarada do que a que termina em massacre e dilaceramento de homens.

3. Portanto, darei o nome de cruel àqueles que têm motivo de punir, mas não têm nenhuma medida, como Fálaris[21], de quem afirmam que seviciou homens, por certo não inocentes, porém numa dimensão que ultrapassa a medida do humano e do admissível. Podemos deixar de lado as cavilações e concluir dizendo que a crueldade é uma inclinação do espírito para coisas particularmente duras. A clemência repele esta inclinação, impon-

do-se conservar à distância; no entanto, com a severidade, combina-se bem com ela.

4. Nesta altura é pertinente investigar o que é compaixão, pois a maioria dos homens louva-a como virtude e chamam compassivo ao homem bom. E ela é um defeito de alma. Devemos evitar cada uma das atitudes que estão colocadas nas margens da severidade e nas margens da clemência. Pois com a aparência de severidade incidimos na crueldade, com a aparência da clemência, na compaixão. Neste último caso, erra-se com um risco mais leve, porém é um erro igual ao dos que se afastam da verdade.

III. (II,5.) 1. Portanto, do mesmo modo como a religião honra os deuses, a superstição os ultraja, assim todo homem de bem oferecerá clemência e mansidão, e evitará a compaixão, porque é falha de um espírito pusilânime sucumbir à vista dos infortúnios alheios. Assim, esta atitude é muito comum entre os que estão nas piores condições. Existem velhas e mulherzinhas[22] que se comovem com as lágrimas dos maiores criminosos e que, caso fosse permitido, lhes arrombariam a porta do cárcere. A compaixão não observa a causa[23] do castigo, mas o infortúnio do criminoso. A clemência se aproxima da razão.

2. Conheço a má reputação[24] da escola estoica entre os inexperientes, que a têm como excessivamente dura e como incapaz de vir a dar bons conselhos a príncipes e reis. Reprova-se-lhe que, porque impede ao sábio ser compassivo, o impede de perdoar. Estes preceitos, se colocados cada um de per si, são odiosos, pois parecem não deixar nenhuma esperança para os erros humanos e deduzir que todos os delitos conduzem ao castigo.

3. E, se assim é, o que há de verdadeiro numa doutrina que ordena desprezar o sentimento humanitário e fecha o mais seguro refúgio, o do mútuo auxílio contra o infortúnio? Contudo, nenhuma

escola é mais benévola e mais branda, nenhuma tem mais amor pelos homens e maior atenção pelo bem comum como a proposta de ser útil, de atender com seu auxílio aos interesses não somente seus, mas de todos, em geral, e de cada um, em particular.

4. A compaixão é o sofrimento da alma diante do espetáculo das misérias alheias ou a tristeza causada pelos males alheios, que se acredita cair sobre os indivíduos que não o merecem. Porém o sofrimento não abate um homem sábio. Sua mente é serena, nada pode suceder-lhe que não possa enfrentar. E nada convém ao homem tanto como a grandeza de alma; entretanto, ela não pode ser, ao mesmo tempo, grande e triste.

5. O pesar esmaga, abate, restringe os pensamentos. É o que não acontecerá ao sábio, mesmo nas suas desgraças pessoais. Por outro lado, ele irá rechaçar toda a fúria do infortúnio e quebrá-la à sua frente. Conservará sempre a mesma aparência calma e impassível, coisa que não poderia fazer se agasalhasse a tristeza.

IV. (II,6.) 1. Acrescenta que o sábio prevê os acasos e tem soluções prontas para eles. E jamais algo límpido e sincero provém da perturbação. A tristeza é inábil em discernir as coisas, refletir sobre assuntos úteis, evitar os perigosos, avaliar perdas equitativamente. Logo, não se deve ter compaixão, porque é coisa que não ocorre sem que haja sofrimento de alma.

2. Quanto às demais coisas que espero que os compassivos façam, o sábio as fará com prazer e elevação de espírito[25]. Prestará socorro às lágrimas alheias, mas não as acrescentará às suas. Oferecerá sua mão ao náufrago, acolhida ao exilado, esmola ao indigente, não esta esmola ultrajante, que a maior parte destes que querem parecer compassivos arremessam, desdenhando os que auxiliam e

temendo ser contaminada por eles, mas como um homem dará a outro homem a partir de bens comuns. Concederá às lágrimas maternas a vida do filho e ordenará a sua libertação das correntes, retirá-lo-á da arena e sepultará seu cadáver, mesmo se malfeitor; contudo realizará estes atos com semblante inalterado.

3. Portanto, o sábio jamais se compadecerá, mas socorrerá e será útil. Nasceu para a assistência comum e para o bem público, do qual dará a cada um a sua parte. Também aos infelizes, seja para reprovar ou seja para corrigir, estenderá sua bondade proporcionalmente; mas aos verdadeiros aflitos e aos esforçados trabalhadores, virá em socorro muito mais prazerosamente. Todas as vezes que o sábio puder, interpor-se-á aos golpes do infortúnio; pois onde empregará melhor os seus recursos ou suas forças do que em restabelecer aqueles que a desgraça abateu? De certo não lhe fraquejará o semblante, nem o espírito, diante de uma perna ressequida, ou diante da magreza e dos andrajos de um velho apoiado em cajado. De resto, será útil a todas as pessoas dignas e, segundo o costume dos deuses, deitará seu olhar favorável sobre todos os desgraçados.

4. A compaixão[26] é vizinha da miséria, pois tem e arrasta consigo algo dela. Que saibas que são frágeis os olhos que se derramam em lágrimas diante de uma inflamação de olhos de outra pessoa; que é certamente fraqueza e não alegria estar sempre a sorrir para os sorridentes e, também, a abrir a boca diante do bocejo de todos. A compaixão é uma fraqueza dos espíritos excessivamente apavorados com a miséria e, se alguém exigir compaixão de um sábio, estará bem próximo de exigir lamentação e gemidos em funerais de um estranho.

V. (II.7.) 1. "Mas por que o sábio não perdoará a ninguém?" Estabeleçamos agora, também, o que é o perdão e saberemos que o sábio não deve concedê-lo. O perdão é a remissão de uma pena merecida. Eu, tão rapidamente como se estivesse em julgamento de outra pessoa, direi o seguinte:

"Perdoa-se a quem devia ser punido. No entanto o sábio não faz nada do que não deve, não deixa passar nada do que deve e, deste modo, não absolve ninguém de uma punição que deve exigir.

2. Mas aquilo que quiseres obter pelo perdão, o sábio te concederá por um caminho mais honrado, pois poupará, refletirá e corrigirá. Fará o mesmo que se perdoasse, mas não perdoará, porque aquele que perdoa reconhece ter omitido algo que devia ter feito. A alguns, observando que sua idade permite recuperação, fará apenas admoestações verbais e não infligirá castigos. A outros, que visivelmente padecem com o que há de repugnante em seu crime, ordenará que permaneçam incólumes, porque foram ludibriados, porque cometeram o deslize por causa do vinho. Devolverá inimigos ilesos, algumas vezes até elogiados, se foram convocados para a guerra por motivos honrados, como em prol de uma fé juramentada, de um tratado ou da liberdade.

3. Todas estas coisas não são obras do perdão, mas da clemência. A clemência tem livre-arbítrio, julga não segundo fórmula legal[27], porém segundo a equidade e o bem. E lhe é permitido absolver e taxar uma demanda em quanto quiser. Destas coisas, nada faz como se fizesse menos do que é justo, mas como se o que estabelece fosse o mais justo. Perdoar, contudo, não é deixar de punir a quem se julga que deva ser punido. O perdão é a remissão de uma pena devida. Em primeiro lugar, a clemência garante que, aos dispensados, ela pronunciará que nada mais deviam padecer. Ela é mais completa do que o perdão, mais honrosa".

4. Na minha opinão, esta é uma disputa de palavras[28]. Na verdade, concorda-se quanto ao fato em si.

O sábio remitirá muitas punições, preservará muitos de caracteres pouco sadios, porém curáveis. Imitará os bons lavradores que cultivam não somente árvores de porte reto e alto, mas também cuidam das que se entortaram por algum motivo, aplicando escoras para endireitá-las. Podam à volta de algumas árvores para não tolher o crescimento dos galhos, adubam outras, raquíticas por causa do solo fraco, expõem ao céu as que sucumbem à sombra alheia.

5. O sábio verá por qual método determinado caráter deveria ser tratado e de que modo as perversões poderiam voltar-se para a retidão.

TERCEIRA PARTE

I. (I.3.) 1. Em terceiro lugar, investigaremos como a alma seria levada à virtude da clemência, como a consolidaria e a faria sua pelo uso[29].

(I,3.) 2. É necessário constar que, entre todas as virtudes, nenhuma convém mais verdadeiramente ao homem, já que nenhuma outra virtude é mais humana, não só entre nós, que queremos o homem visto como um ser social, gerado para o bem comum[30], mas também entre aqueles que destinam o homem ao prazer[31], dos quais todas as palavras e atos se voltam para seus próprios interesses. Portanto, se o homem procura o repouso e o lazer, alcança com essa virtude o máximo de sua natureza que ama a paz e refreia sua mão.

3. Contudo, entre todos os homens, a clemência não convém a ninguém mais do que ao rei e ao príncipe. Assim, são grandes as forças do decoro e da glória, se o poder for saudável para elas, pois prevalecer-se do poder para prejudicar é força maligna[32].

Enfim, é fundamentada e estável a grandeza daquele que todos sabem estar tanto acima como a favor deles; cuja preocupação, ao velar pela salvaguarda de cada um, em particular, e de todos, em geral, comprova-se diariamente; quando ele se aproxima, não se dispersam todos, como se qualquer animal daninho e nocivo tivesse saltado de seu covil, mas acorrem apressuradamente, como para uma estrela luminosa e benfazeja. Todos estão muito preparados para se atirarem às pontas das espadas conspiradoras em sua defesa e, se o caminho da sua salvação tiver de ser construído com despojos humanos, para pavimentarem-no com o próprio corpo. Guardam-lhe o sono com sentinelas noturnas, tendo obstruído e cercado seus flancos, defendem-no e interpõem as suas próprias vidas aos perigos que o ameaçam[33].

4. Não é sem razão que povos e cidades têm um consenso como o de proteger e amar os seus reis, expondo a si e a seus bens todas as vezes que a salvaguarda do governante o requeira. E não é menosprezo de si mesmo ou demência o fato de tantos milhares receberem golpes de espada em benefício de uma só pessoa e resgatarem, com muitas mortes, uma só vida, que, às vezes, é a de um ancião e de um inválido.

5. Da mesma forma como o corpo inteiro está a serviço da alma[34] e, embora ele seja tão grande e vistoso e ela permaneça sutilmente oculta e dúbia quanto ao lugar em que se esconde, todavia as mãos, os pés, os olhos trabalham para ela, e a pele a protege. Sob o comando da alma repousamos ou corremos inquietos. Quando ordena, se ela é um senhor ganancioso, exploramos o mar por causa do lucro[35]; se ela é ambiciosa, sem perda de tempo apresentamos nossa mão direita às chamas[36] ou nos precipitamos, voluntariamente, para dentro da terra[37]. Do mesmo modo, esta imensa multidão, reunida em torno de um só ser vivente, governada pelo seu

espírito, dobrada pela sua razão, será oprimida e despedaçada pelas suas próprias forças se não for sustentada pela sabedoria[38].

II. (I,4.) 1. Portanto, é a sua própria preservação que os homens amam quando conduzem legiões, às dezenas, à batalha a favor de um só homem, quando acorrem às primeiras linhas de frente e apresentam o peito aos ferimentos para não deixar retroceder as insígnias de seu imperador; pois ele é o vínculo, cujo poder intervém na coesão das forças públicas. Ele é o sopro vital que arregimenta estes tantos milhares que por si mesmos nada seriam a não ser ônus e presa de guerra, se esta ideia de império lhes fosse retirada.

Preservado o rei, todos têm um único ideal. Perdido o rei, todos rompem o compromisso de fidelidade[39].

2. Tal queda será o fim da paz romana[40]. Levará à ruína o destino de um povo tão grande, povo que se manterá afastado do perigo durante tanto tempo quanto souber suportar freios, que, se alguma vez se romperem, ou se, por algum acidente, não se puderem sustentar os elos partidos, esta unidade e esta vasta rede do enorme império se fragmentarão em muitas partes, e esta cidade terá deixado de dominar no mesmo momento em que[41] tiver deixado de prestar obediência[42].

3. Eis por que príncipes e reis[43], ou qualquer outro nome[44] que tenham, são os tutores[45] da ordem pública, não é de admirar que sejam estimados muito além das relações de caráter particular; pois, se homens sensatos colocam os interesses públicos acima dos privados, sucede que a pessoa mais querida é também a que personifica[46] o Estado. Com efeito, outrora César se investiu do poder estatal de tal modo que nenhum poderia ser suprimido sem a destruição do outro. Por conseguinte,

tanto é necessário a força para um quanto a cabeça para outro.

III. (I,5.) 1. Parece que meu discurso se afastou bastante de sua proposta, mas, sem dúvida, persegue seu próprio objetivo; pois se, como até agora ficou demonstrado, és a alma do Estado e o Estado é teu corpo, podes ver, como espero, quão necessária é a clemência; pois é a ti que poupas, quando pareces poupar a outro. Assim, devem-se poupar cidadãos, mesmo os condenáveis, não diferentemente dos membros enfermos e, quando for necessário sangrar, deve-se conter o gume para a incisão não ser mais profunda que o necessário.

2. Portanto, como eu estava dizendo, a clemência existe certamente em todos os homens de acordo com a natureza deles; todavia é especialmente honrosa nos imperadores; quanto mais haja o que preservar por meio destes, tanto mais aparece em grandes materializações. Como prejudica pouco, de fato, a crueldade de um cidadão particular! A sevícia dos príncipes é uma guerra.

3. E ainda que haja harmonia entre as virtudes e uma não seja melhor ou mais honrada que outra, sempre determinada virtude é mais adequada a certas pessoas. Grandeza de alma convém a todo mortal, mesmo àquele abaixo do qual não existe nada, pois o que é maior ou mais corajoso do que enfrentar a má sorte? E, contudo, esta grandeza de alma ocupa um espaço mais amplo na prosperidade e é mais visível na tribuna do que ao rés do chão[47].

4. A clemência conservará feliz e tranquila qualquer casa em que tiver entrado, mas, no palácio real, onde é mais rara, mais admirável será, pois, o que é mais admirável do que ver o homem, cuja cólera não encontra nenhuma oposição[48], cujos veredictos, mesmo os mais pesados, são aprovados pelos que vão morrer, a quem ninguém interpelará,

ao contrário, a quem ninguém sequer suplicará, se a violência o arrebatou, que controle sua mão e empregue seu poder para melhores e mais pacíficos fins, pensando consigo mesmo no seguinte: "Qualquer um pode matar em desacordo com a lei; salvar uma vida em desacordo com a lei, ninguém pode exceto eu"?

5. Um grande destino fica bem a uma grande alma, que, a não ser que se tenha elevado até ele e permanecido em nível elevado, é conduzida também a um nível contrário, abaixo dele. É próprio de grande alma ser calma e tranquila, e olhar de cima as injúrias e ofensas. Cabe à mulher perder a cabeça de raiva; mas é próprio de animais ferozes, e certamente dos de não boa raça, morder e estraçalhar as vítimas prostradas. Elefantes[49] e leões[50] prosseguem seu caminho por entre os que abateram; a obstinação é própria do animal ignóbil.

6. Cólera brutal e inexorável não fica bem a um rei, pois não o eleva muito acima daquele a quem se iguala ao irritar-se. Ao contrário, se concede a vida aos que estão em perigo e se confere dignidade aos que têm merecido perdê-la[51], faz aquilo que a ninguém mais é permitido fazer exceto ao que tem o poder sobre todas as coisas, pois até mesmo a um superior arrebata-se-lhe a vida, mas jamais ela é concedida a não ser a um inferior.

7. Salvar é próprio de um destino privilegiado, que nunca deve ser mais admirado que quando lhe ocorre o mesmo que aos deuses, por cujo favor somos todos trazidos à luz, tanto os bons quanto os maus. E, assim, atribuindo a si mesmo o espírito dos deuses, que o príncipe contemple, entre os seus cidadãos, a alguns com prazer, porque são bons e úteis, e a outros os deixe fazer número. Que se alegre com a existência daqueles e que tolere a existência destes.

IV. (I,6.) 1. Considera que nesta cidade, em que a multidão, escoando em fluxo ininterrupto pelas ruas mais amplas, esmaga-se toda vez que encontra algum obstáculo a barrar seu curso rápido como uma torrente; em que, ao mesmo tempo, três plateias de três teatros[52] aguardam a chegada do público; em que se consome o produto de toda terra arável, quanta solidão haveria e quão deserta seria, no futuro, se não restasse ninguém além dos absolvidos por um juiz severo.

2. Quão pequeno seria o número dos investigadores não colhidos pela mesma lei pela qual fazem a investigação? Quão pequeno seria o número de acusadores isentos de culpa? E não sei se não seria mais relutante em dar perdão àquele que, muito mais frequentemente, precisou pedi-lo.

3. Todos nós pecamos, alguns de maneira grave, outros mais levemente, alguns deliberadamente, outros por um impulso casual ou levados pela maldade alheia. Permanecemos pouco resolutos em nossas boas resoluções e, entre constrangidos e reticentes, perdemos a nossa inocência. Não só estamos cometendo erros, como também os cometemos até nosso derradeiro dia.

4. E mesmo se alguém purificou sua alma tão bem que nada mais possa perturbá-la ou enganá-la, todavia não chega até a inocência a não ser pecando.

V. (1,7.) 1. Já que fiz menção aos deuses, seria ótimo que eu estabelecesse um modelo de formação de príncipe que quisesse ter para com os seus súditos as mesmas disposições que os deuses têm para com ele. Há proveito, pois, em ter divindades implacáveis diante de nossos pecados e erros? Há proveito em tê-los hostis até nossa final destruição? E que rei estará seguro de que arúspices[53] não venham a recolher seus restos?

2. E se os deuses, que são pacíficos e justos, não perseguem imediatamente os delitos dos po-

derosos com seus raios, quão mais justo seria que o homem, colocado como preposto dos outros homens, exercesse o comando com espírito meigo e refletisse sobre qual dos dois aspectos do mundo seria mais agradável e mais belo a seus olhos: quando o dia é sereno e claro, ou quando é sacudido por incessantes trovoadas, e relâmpagos faíscam aqui e acolá! E a aparência de um império tranquilo e bem-estruturado outra coisa não é senão a de um céu sereno e brilhante.

3. Um reinado cruel é perturbado e obscurecido por trevas, não permanecendo inabalado, entre os que tremem e se apavoram com um barulho repentino, nem mesmo aquele que conturba tudo.

Aos cidadãos particulares, quando se vingam obstinadamente, é mais fácil perdoar, porquanto são passíveis de ser lesados e seu ressentimento provém da injustiça. Além do mais, eles temem o desprezo, e não ter retribuído aos ofensores passa por fraqueza, e não por clemência. Mas aquele a quem é fácil vingar, tendo deixado de fazê-lo, obtém o sólido renome de complacente.

4. Os que estão em posição humilde têm maior desembaraço em forçar a mão, pleitear, correr para as rixas e deixar-se arrastar pela sua irritação. Entre pessoas iguais os golpes são leves. Mas, para um rei, até uma alteração de voz e falta de comedimento de palavras não são majestáticos.

VI. (1,8.) 1. Consideras grave privar os reis do arbítrio de falar, arbítrio que os mais humildes têm. "Isto", dizes, "é uma servidão e não poder imperial". Então? Não percebeste que isto é uma nobre servidão para ti?[54] Outra é a condição dos que se escondem no meio da multidão de onde não sobressaem, cujos valores lutam durante muito tempo para que apareçam e cujos defeitos os mantêm nas trevas. A opinião pública recolhe todos os vossos atos e palavras e, por esta razão, ninguém deve preocupar-se mais com a qualidade de sua reputação do que aqueles que hão de tê-la grande, qualquer que seja o merecimento que tenham tido.

2. Quantas coisas não te são permitidas que, graças a ti, nos são permitidas![55] Posso caminhar sozinho, sem temor, em qualquer parte da cidade, embora nenhuma escolta me acompanhe, embora não tenha nenhuma espada em minha casa, nem em minha ilharga. Mas tu, na paz que criaste, deves viver armado. Não podes afastar-te de tua sorte, ela te bloqueia e te persegue com grande aparato em qualquer lugar que desças.

3. Esta é a servidão de suprema grandeza: a que não pode tornar-se menor; porém esta mesma servidão é comum aos deuses e a ti. Porquanto o céu os mantém prisioneiros e não lhes é dado descer mais vezes do que a ti, por razões de segurança. Estás preso à tua proeminência.

4. Poucas pessoas percebem os nossos movimentos; a nós é lícito sair, entrar, mudar nossos trajes sem o conhecimento público: a ti não é dado esconder-te mais do que ao sol. Existe muita luz à tua volta, para ela convergem os olhos de todos e, se julgas poder mostrar-te, elevas-te[56].

5. Não podes falar sem que as nações, estejam onde estiverem, acolham tua voz. Não podes enfurecer-te sem que todas as coisas estremeçam, porque não podes derrubar ninguém sem abalar tudo à tua volta. Assim como os raios caem com perigo para poucos, mas com terror de todos, as condenações dos altos dirigentes espalham um terror mais amplo do que o dano que fazem, e não sem motivo: pois a pessoa que pode fazer tudo não reflete sobre o quanto teria feito, mas no quanto haveria de fazer.

6. Acrescenta agora que a tolerância das ofensas recebidas torna os cidadãos particulares mais propícios a receberem outras; para os reis é mais certa a segurança que provém da mansidão, porque punição continuada reprime o ódio de poucas pessoas, mas estimula o de todos.

7. Convém que a vontade de seviciar se desfaça antes que sua causa. Além disso, da mesma forma que múltiplos ramos tornam a brotar de árvores cortadas, e muitas espécies de plantas são podadas para crescerem mais densamente, assim a crueldade do rei aumenta o número dos inimigos ao suprimi-los, pois os pais e os filhos, os parentes e os amigos dos que foram mortos tomam o lugar de cada uma das vítimas.

VII. (I,9.) 1. O quanto isto é verdade, quero lembrar-te com um exemplo de tua família. O divino Augusto foi um príncipe meigo, se alguém começasse por avaliá-lo pelo período do seu principado. Porém, no período de perturbação geral do Estado[57], empunhou a espada quando tinha a idade que tu tens agora, tendo começado seu décimo oitavo ano de vida. Tendo passado seu vigésimo ano, já tinha enterrado o punhal no peito de seus amigos, já tinha procurado golpear traiçoeiramente o flanco do cônsul Marco Antônio e já tinha sido seu colega de proscrições[58].

2. Contudo, quando tinha ultrapassado seu sexagésimo ano e se demorava na Gália[59], foi-lhe denunciado que Lúcio Cina[60], indivíduo de espírito limitado, lhe estava armando uma conspiração[61]. Foi-lhe revelado onde, quando e como Cina queria agredi-lo. Um dos seus cúmplices o denunciou[62].

3. Augusto decidiu castigá-lo e ordenou que se convocasse um conselho de amigos. Passou uma noite agitada, porque refletia no dever de condenar um jovem da nobreza, neto de Cneu Pom-

peu, íntegro até aquele deslize. Agora, já não podia matar um único homem, ele, a quem Marco Antônio ditara o edital de proscrição durante um jantar.

4. Gemendo, deixava escapar, sucessivamente, palavras indecisas e contraditórias entre si: "O quê? Eu, enquanto me atormento, hei de tolerar meu assassino a andar seguro por aí? Então, não se infligirão castigos a este, que pode resolver não matar-me, mas imolar-me (pois tinha resolvido atacar-me enquanto fazia o sacrifício)[63], a mim, uma cabeça visada em vão, que escapou incólume de tantas guerras civis, de tantas batalhas marítimas e terrestres, agora que a paz foi estabelecida em terra e mar?"

5. De novo, depois de um intervalo de silêncio, enfurecia-se, em voz alta, mais consigo do que com Cina: "Por que vives, se a tantos interessa que tu morras? Qual será o fim dos suplícios? Qual, o do derramamento de sangue? Eu sou uma cabeça exposta aos jovens da nobreza, alvo de suas espadas afiadas. A vida não é de tanto valor, se, para que eu não pereça, tantos devem perdê-la"[64].

6. Por fim, Lívia, esposa, interrompeu-o: "Aceitas", disse, "um conselho de mulher? Faze o que os médicos costumam fazer, quando os remédios habituais não dão resultado: tentam remédios contrários[65]. Até agora não conseguiste nada com a severidade. A Salvidieno[66] sucedeu Lépido[67]; a Lépido, Murena[68]; a Murena, Cepião[69]; a Cepião, Egnácio[70], sem falar dos outros cuja ousadia tanto nos envergonha. Tenta, agora, como a clemência poderia favorecer-te. Perdoa Lúcio Cina. Ele foi apanhado. Já não pode prejudicar-te mais, porém, para tua reputação, pode ser útil".

7. Satisfeito, porque encontrara um advogado para sua causa, Augusto agradeceu a sua esposa e, em seguida, ordenou imediatamente

aos amigos convocados que se cancelasse o conselho e, tendo mandado todos saírem do recinto, chamou unicamente Cina à sua presença. Depois de ter mandado colocar outra cadeira para Cina, disse: "A primeira coisa que te peço é que não me interrompas enquanto eu estiver falando, nem cortes minhas palavras com exclamações. Disporás de tempo livre para falar.

8. Embora eu te tenha encontrado, Cina, em campo adversário, não como um que se fez meu inimigo, mas como meu inimigo de nascimento, preservei tua vida, permiti que conservasses todo teu patrimônio. Hoje, és tão feliz e tão rico que os vencedores invejam o vencido. Confiei-te o cargo de sacerdote que solicitaste, deixando de lado vários candidatos cujos pais combateram comigo. Como se eu assim o merecesse, decidiste matar-me.

9. Como diante de tais palavras Cina exclamasse estar ele longe de tal demência, prosseguiu: "Não manténs tua palavra, Cina. Combinara-se que tu não me interromperias. Planejas, repito, matar-me". Acrescentou o local, os cúmplices, o dia, o plano do atentado, e a pessoa a quem fora confiada a arma do crime.

10. E, como o visse cabisbaixo, calado, não tanto por causa da acusação, mas por causa da consciência, disse: "Com que intenção fazes isso? É para que sejas o príncipe? Por Hércules, o povo romano vai mal, se nada, além da minha pessoa, é obstáculo para governares. (Não és capaz de proteger tua própria casa. Há pouco, numa demanda particular, foste vencido pela influência de um liberto e não podes encontrar nada tão mais fácil do que te empenhares contra César!) Abdico, se somente eu for o impedimento de tuas esperanças. Acaso, daqui por diante te apoiarão Paulo, Fábio Máximo, os Cossos, os Servílios[71] e esta lista tão grande de nobres, não daqueles

que ostentam nomes inexpressivos, mas aqueles que trariam honra às imagens dos seus antepassados?"

11. Para que eu não empregue grande parte deste volume repetindo todo seu discurso (pois consta que falou por mais de duas horas, alongando sua fala, castigo único com que se daria por satisfeito), continuou: "Concedo-te a vida pela segunda vez, Cina; da primeira vez a um inimigo, agora a um conspirador e parricida. Que, a partir de hoje, comece de novo uma amizade entre nós. Disputemos qual dos dois será mais digno de confiança, eu que te concedi a vida ou tu que ma deves".

12. Depois conferiu-lhe, espontaneamente, o consulado, queixando-se de que Cina não ousara solicitar-lho. Tinha-o como o mais amigo e o mais fiel; tornou-se seu único herdeiro. Desde então, não foi mais alvo de quaisquer atentados.

VIII. (I,10.) 1. Teu trisavô perdoou os vencidos. Pois, se não tivesse perdoado, sobre quem imperaria? Salústio, os Coceios, os Délios[72] e todo o grupo da primeira escolha, recrutou-os do campo dos adversários. Devia já à sua clemência os Domícios[73], os Messalas, os Asínios, os Cíceros e todo aquele que fazia parte da elite nacional. Ao próprio Lépido[74], quanto tempo lhe deixou para morrer! Por muitos anos consentiu-lhe conservar as insígnias do principado e, só depois de sua morte, permitiu que o título de pontífice máximo[75] fosse transferido para si; pois preferia recebê-lo como honraria a tê-lo como despojo.

2. Esta clemência conduziu-o à salvação e à segurança. Trouxe-lhe a gratidão e a estima, embora não tivesse posto mão sobre as cervizes ainda não subjugadas do povo romano. E, hoje, ela lhe conserva a fama que dificilmente acompanha os príncipes mesmo quando vivos.

3. Acreditamos, não como se nos fosse imposto, que Augusto é um deus. Que ele é um

bom príncipe, que lhe ficou bem o nome de pai reconhecemos por nenhum outro motivo além de que mesmo nos insultos pessoais, que para os príncipes costumam ser mais amargos do que as injustiças, demandava sem nenhuma crueldade; porque sorria dos motejos contra sua pessoa; porque, quando aplicava punições, aparentava sofrê-las; porque a todos os que condenara por adultério com sua filha[76], além de não matá-los, lhes dera salvo-condutos, para que, banidos, tivessem um pouco mais de segurança.

4. Isto é perdoar, não somente conceder a vida, mas garanti-la, quando souberes que haverá muitos que, em teu nome, enfurecem-se e te prestam favores com sangue alheio.

IX. (I,11.) 1. Tais coisas fez Augusto quando velho, ou quando seus anos já o inclinavam para a velhice. Na juventude inflamou-se e a cólera arruinou-o; fez muitas coisas às quais voltava os olhos constrangido. Ninguém ousará comparar a tua mansidão à do divino Augusto, mesmo se fossem levados à disputa os teus anos juvenis e a velhice dele, mais do que madura. Terá sido moderado e clemente; por certo depois de tingir o mar com sangue romano na batalha de Ácio[77], por certo depois de destroçar frotas na Sicília[78], não só as suas como as do inimigo; por certo depois dos holocaustos de Perúsia[79] e das proscrições.

2. Porém, eu não dou o nome de clemência a uma crueldade frouxa. A verdadeira clemência, César, é esta que tu desempenhas, e que, não tendo arrependimento de sevícias praticadas, começa sem qualquer mácula[80], sem nunca ter derramado sangue civil. A verdadeira temperança do espírito, no maior poder, e o amor do gênero humano (e aí ele abrange todos os recursos) são isto: não se deixar corromper por qualquer cupidez nem pela temeridade do talento nem pelos exemplos dos príncipes precedentes; não tentar, experimentando, quanto

lhe seria permitido contra os seus cidadãos, mas tirar o fio da espada do seu império.

3. Preservaste, César, a nação sem sangue, e o fato que tanto glorificou teu grande espírito é que não derramaste nenhuma gota de sangue humano em todo o mundo[81], e mais significativo e mais admirável do que isso é que, a ninguém, jamais, uma espada foi confiada tão precocemente.

4. Logo, a clemência conserva os príncipes não só mais honrados como também mais seguros e é, ao mesmo tempo, seu ornamento e o mais sólido meio de preservação dos poderes imperiais. Por que é, então, que os reis envelhecidos têm transmitido seus tronos a filhos e netos[82], ao passo que o reinado dos tiranos é abominável e efêmero? Que diferença há entre um tirano e um rei (pois a aparência da sorte e a licença de arbitrar são iguais) a não ser pelo fato de que os tiranos são cruéis por prazer e os reis somente por motivo e necessidade?

X. (1,12.) 1. "Então, quê? Os reis também não costumam matar?" – Sim, mas somente quando o interesse público os persuade a fazê-lo. A sevícia está no coração dos tiranos. Contudo, o tirano difere do rei[83] pelos atos, e não pelo nome. Portanto Dionísio[84], o velho, por direito e mérito, pode ser preferido a muitos reis; e o que impede Lúcio Sila de ser denominado tirano, ele, a quem somente a escassez de inimigos fez pôr fim à matança?

2. Mesmo que ele tenha descido de sua posição ditatorial e retomado a toga civil, todavia que tirano bebeu, alguma vez, o sangue humano tão avidamente quanto ele, que ordenou que se trucidassem sete mil romanos e que, quando sentado na vizinhança, perto do templo de Belona, ouvindo o lamento de tantos milhares de vítimas, gemendo sob os golpes de espada, dizia ao atemorizado senado: "Prossigamos, senadores, apenas alguns poucos sedi-

ciosos estão sendo executados por ordem minha"? Isto não é mentira. Para Sila pareciam poucos.

3. Mas logo daremos prosseguimento ao assunto de Sila[85], de que maneira se enfurecia com seus inimigos, principalmente se cidadãos, rompidos com seu partido, transferissem-se para a facção inimiga. Nesse meio tempo, como eu dizia, a clemência prova a profunda diferença entre um rei e um tirano, embora nenhum dos dois esteja menos equipado em armas do que o outro. Porém, um dispõe de armas das quais se serve em defesa da paz, o outro, como reprime grandes ódios por meio de grande medo, nem às próprias mãos, às quais se confiou, olha-as com segurança.

4. Como são opostos, agem de forma oposta. Porquanto, embora seja odiado porque é temido, o tirano deseja ser temido porque é odiado, servindo-se daquela abominável máxima, que precipitou a perdição de muitos: "Que me odeiem, contanto que me temam", tendo ignorado quanta fúria engendraria, quando os rancores crescessem além da medida.

De fato, um temor moderado coíbe os espíritos, mas um temor permanente, não só agudo, mas que leva a extremos, incita os prostrados à audácia e persuade-os a recorrer a tudo.

5. Assim, com corda e pluma podes conter feras confinadas. Mas, se um cavaleiro investir sobre o dorso delas com o aguilhão, elas tentarão a fuga através do próprio obstáculo que as afugentou e esmagarão o objeto de seu medo. A coragem é mais intensa quando forjada por profunda necessidade. Convém que o medo deixe alguma segurança e ofereça muito mais esperança do que perigos. De outro modo, quando perigos do mesmo teor provocam medo no homem sossegado, apetece-lhe incorrer em perigos e ir até o fim como se sua vida fosse de outra pessoa.

XI. (I,13.) 1. Um rei pacífico e tranquilo tem colaboradores de sua confiança, porque os emprega para a preservação da comunidade, e o soldado brioso (pois veem que ele se dedica à segurança pública) suporta prazeroso toda a labuta como a de guardião do pai. Ao contrário, é necessário que seus acólitos relutem com o outro rei que é feroz e sanguinário.

2. Ninguém pode ter auxiliares de boa vontade e de fé, quando nas torturas que prepara se serve deles como cavaletes e instrumentos de matar, quando contra eles lança homens como a animais selvagens. Ele é mais desgraçado que todos e mais atormentado porque, temendo homens e deuses, testemunhas e vingadores de seus delitos, uma vez conduzido a este ponto não lhe é mais possível mudar seus hábitos. Pois a crueldade, entre outros, tem o pior de todos os defeitos: a obrigação de persistir nela; e não se lhe abre um retorno para coisas melhores, pois crimes devem ser acobertados por outros crimes. Então, quem é mais infeliz do que o homem que agora necessita ser mau?[86]

3. Que criatura miserável, pelo menos para si! Porquanto para os demais seria ímpio compadecer-se de um homem que exerceu seu poder para matanças e rapinagens, e se tornou suspeito através de todos os seus atos, tanto exteriores quanto domésticos, recorrendo às armas, enquanto teme as armas, não crendo na fidelidade dos amigos nem na afeição dos seus filhos. Ele, quando olha ao seu redor, vê tudo o que fez, tudo o que está para fazer, deixa entrever sua consciência repleta de crimes e tormentos, temendo muitas vezes a morte, porém mais frequentemente desejando-a, já que é mais odioso para si do que para seus escravos.

4. Ao contrário, o príncipe que tem preocupações universais, atendendo mais a algumas, menos a outras, presta assistência ao Estado,

como se fosse parte de si mesmo, inclinado às mais meigas soluções, mostrando, mesmo quando censurar é de utilidade, quão constrangido põe as mãos em ásperos corretivos. Em seu espírito nada é hostil, nada é selvagem. Exerce seu poder pacífica e saudavelmente, desejando dos cidadãos a aprovação de suas ordens; considerando-se suficientemente feliz, se puder tornar a sua boa sorte pública. Afável de conversa, fácil à aproximação e ao acesso, com fisionomia que cativa sobretudo as massas, amável, propenso às petições legítimas, e apenas ríspido em relação às ilegítimas: ele é amado, defendido e respeitado pela nação inteira.

5. Os homens dizem dele, em segredo, a mesma coisa que em público. Desejam procriar filhos, e a esterilidade, indício de problemas públicos, é extinta. Ninguém duvida de que merecerá o agradecimento de seus filhos aos quais terá apresentado um século de tal natureza. Tal príncipe, protegido por sua benevolência, não necessita de escoltas e tem um exército somente por questão de ornamento.

XII. (1,14.) 1. Logo, qual é seu dever? O mesmo dos bons pais, que costumam censurar os filhos algumas vezes carinhosamente, outras vezes com ameaças e, às vezes, chegam até a admoestá-los a chicotadas. Acaso algum pai[87], são de espírito, deserda o filho à primeira ofensa? A não ser que grandes e repetidos erros esgotem a sua paciência: a não ser que aquilo que teme seja maior do que o que condena, não chega a pegar da pena para escrever a sentença irrevogável. Tenta, antes, muitos outros recursos pelos quais possa reconduzir uma índole indecisa e já inclinada pela pior postura. No mesmo momento em que se perdem as esperanças, experimentam-se os últimos recursos. Ninguém chega a infligir suplícios, a não ser que tenha esgotado todos os expedientes.

2. O que deve ser feito pelo pai, deve também sê-lo pelo príncipe, a quem demos o nome de Pai da Pátria[88], sem termos sido levados por vã adulação. Pois muitas outras denominações honoríficas foram-lhe conferidas. Nós o proclamamos Grande, Feliz, Augusto e o cumulamos com tudo o que pudemos atribuir em matéria de títulos a uma ambiciosa majestade. Mas, na verdade, denominamo-lo Pai da Pátria para que soubesse que lhe foi conferido o pátrio poder graças a seu grande comedimento em consultar os filhos e colocar seus próprios interesses depois dos deles.

3. Um pai deveria extirpar, lentamente, um de seus próprios membros e, mesmo então, quando o tivesse extirpado, deveria desejar recolocá-lo e, ao fazê-lo, tendo hesitado durante muito tempo, deveria gemer. Pois quem condena apressadamente está prestes a fazê-lo com prazer, e quem pune excessivamente está prestes a agir com injustiça.

XIII. (I,15.) 1. A Triconte[89], um cavaleiro romano segundo minha memória, porque matara o próprio filho a açoites, o povo trespassou-o a golpes de estilete, no fórum. A autoridade de César Augusto mal conseguiu arrancá-lo das mãos agressoras, tanto de pais quanto de filhos.

2. Tário[90], que sentenciou o filho surpreendido em flagrante tramando o assassínio do próprio pai, depois de investigada a questão provocou a admiração de todos, porque se satisfez com o seu exílio e um exílio agradável: manteve o parricida em Marselha[91] e concedeu-lhe uma renda anual do mesmo valor da que costumava conceder-lhe quando ainda ilibado. Tal liberalidade demonstrou que, nesta cidade, onde às piores pessoas nunca falta um patrono, ninguém terá dúvida de que o réu foi condenado com justiça, já que o pai que não podia zangar-se conseguira condená-lo.

3. Por meio deste fato darei o exemplo do bom príncipe a quem poderás comparar o bom pai. No momento de examinar o caso do filho, Tário convocou César Augusto para o conselho. César ingressou na privacidade do seu lar, sentou-se a seu lado, foi membro de um conselho de família estranha e não disse: "Pelo contrário, que venham a meu domicílio". De fato, se o tivesse feito, o inquérito teria sido presidido por César e não pelo pai.

4. Ouvida a questão e investigados todos os pormenores, os que o jovem dissera a seu favor e os outros, que o acusavam, Augusto pediu que cada um desse seu veredicto por escrito, para que a decisão de César não se tornasse a mesma de todos. Em seguida, antes de abrirem as tabuinhas de escrever, jurou que não aceitaria herança de Tário, homem bem aquinhoado.

5. Alguém poderá dizer: "Ele teve fraqueza de espírito ao temer que, através da condenação do filho, parecesse deixar aberto um espaço para suas aspirações pessoais". Eu penso o contrário. Qualquer um de nós deveria ter bastante confiança, em sua boa consciência, para enfrentar interpretações maldosas, mas os príncipes devem dar muita atenção a sua reputação.

6. César jurou que não aceitaria herança. Assim, no mesmo dia, Tário perdeu um segundo herdeiro, mas César resgatou a independência de seu veredicto. E depois que provou ser a sua severidade desinteressada – fato que deve sempre preocupar um príncipe – determinou que o filho deveria ser banido para onde parecesse bem ao pai.

7. Não o sentenciou ao castigo do saco[92], nem ao das serpentes, nem ao cárcere, lembrando-se não de quem estava julgando, mas para quem ele estava em conselho. Disse que o pai devia se contentar com um tipo de pena mais suave contra o

filho adolescente que fora impelido àquele crime tramado com uma timidez próxima da inocência; que o filho deveria ser afastado da cidade e dos olhos do pai.

XIV. (1,16.) 1. Que pessoa digna, a quem os pais deveriam convocar para os conselhos de família! Que pessoa digna, a quem deveriam inscrever como co-herdeira dos filhos inocentes! É esta a clemência que convém a um príncipe; aonde quer que vá torna as coisas mais amenas. Para este rei ninguém é de tão pouco valor que ele não sinta a sua perda; qualquer pessoa que seja faz parte do império.

2. A partir dos pequenos impérios, procuremos um modelo para os grandes. Não existe uma forma única de comandar. O príncipe comanda seus cidadãos; o pai, seus filhos; o professor, seus alunos; o tribuno ou o centurião, seus soldados.

3. Acaso não parecerá o pior dos pais aquele que reprime os filhos com frequentes surras, mesmo pelos motivos mais leves? Qual mestre de estudos liberais é mais digno, aquele que escarnece dos alunos se a memória lhes tiver falhado, se seus olhos pouco ágeis tiverem vacilado na leitura, ou aquele que prefere corrigir e ensinar por meio de recomendações e de respeito? Apresenta-me um tribuno ou um centurião brutal: ele fará desertores daqueles que, todavia, são perdoáveis.

4. Portanto, acaso é justo comandar o homem mais pesado e mais duramente do que se comandam animais mudos? Um mestre-domador perito não assusta o cavalo com excessivas chicotadas; pois ele se tornará espantadiço e rebelde, a não ser que o tenhas lisonjeado com um toque carinhoso.

5. Um caçador faz a mesma coisa, seja treinando os filhotes de cães a seguir uma pista, seja usando-os, já adestrados, para desentocar ou perseguir feras; não os ameaça repetidamente (pois

isto abalará seu espírito e tudo o que é próprio de sua índole se despedaçará graças à ação confusa do medo)[93] e não lhes concede licença de vagar e andar desordenadamente por aí. Pode-se acrescentar a estes exemplos o daquele que conduz as mulas mais indolentes, que, embora tenham nascido para o abuso e para as misérias, podem ser levadas a refugar o jugo por causa da excessiva brutalidade.

XV. (1,17.) 1. Nenhum animal é mais fatigante, nenhum deve ser tratado com mais habilidade que o homem, a nenhum se deve poupar mais: pois o que é mais estúpido que corar de vergonha ao ver descarregar fúrias sobre jumentos e cães, e fazer com que a pior condição humana seja ser homem sob o jugo do homem?

Tratamos de medicar doenças sem nos irritar. Não obstante, este mal é uma doença de alma. Requer um tratamento suave e um médico menos rude para com o doente.

2. É próprio do mau médico desesperar de que não tenhas cura[94]. O mesmo procedimento para com as pessoas cujo espírito está afetado deverá usar aquele a quem se atribuiu a salvação de todos: não projetar esperanças cedo demais, nem revelar antes os sintomas da morte. Que lute contra os males, que resista, que a alguns censure por estarem doentes, a outros engane que com um tratamento suave e com remédios inócuos há de curá-los mais cedo e melhor. Que o príncipe trate de cuidar não só da saúde, mas também da cicatriz honrosa.

3. Para o rei, Nero, não existe nenhuma glória proveniente de uma condenação brutal (pois quem duvida de seu poder?), mas, ao contrário, sua glória será muito grande, se contiver sua violência, se resgatou muitos da cólera alheia, se não aplicou a ninguém a sua própria.

XVI. (1,18.) 1. É louvável mandar nos escravos com moderação[95]. E, no cativeiro, não se deve pensar até que ponto seria possível suportá-lo impunemente, mas até que ponto seria permitido pela natureza da equidade e do bem, que ordena poupar tanto os cativos quanto os comprados a dinheiro. Quão mais justo seria empregar homens livres, os nascidos de homens livres e os honrados, não como se fossem tua propriedade, mas como aqueles sobre os quais tens precedência por tua posição, cuja tutela te foi confiada, mas não a sua servidão.

2. Mesmo aos escravos é permitido refugiarem-se junto de uma estátua[96]! Embora tudo seja lícito contra os escravos, existe algo que o direito comum dos seres vivos impede de usar contra um ser humano. Quem não tinha por Védio Polião[97] ódio pior do que seus escravos, porque engordava as suas moreias com sangue humano e aos que, por qualquer motivo, o ofenderam, mandava atirar no que não era outra coisa senão um viveiro de serpentes? Que homem mil vezes digno de morte! Quer porque lançava seus escravos para serem devorados pelas moreias que ele haveria de comer, quer porque somente as criava, ali, a fim de alimentá-las desta maneira[98]!

3. Da mesma forma como se apontam os senhores cruéis pela cidade inteira, e são odiados e detestados, assim a injustiça e a infâmia também se espalham amplamente, e sua odiosidade se transmite pelos séculos. Quão mais satisfatório, pois, seria não nascer do que ser enumerado entre os nascidos para o flagelo público?

XVII. (I,19.) 1. Ninguém poderá imaginar maior ornamento para o soberano do que a clemência, não importa qual seja o meio e qual seja o direito que o terá colocado como preposto dos demais homens. Evidentemente, reconhecemos que esta qualidade é tanto mais formosa e mais magnificente quanto maior for o poder que exercerá, que não é necessário ser nocivo, se for constituído segundo a lei da natureza.

2. Decerto foi a natureza que inventou o rei[99], fato que se pode observar a partir dos outros animais, e, entre eles, as abelhas, cujo rei tem o alvéolo mais espaçoso, colocado no centro e no lugar mais seguro. Além disso, desobrigado de trabalhar, é o supervisor dos trabalhos dos demais, e, tendo-se perdido o rei, todo o enxame se dispersa[100]; não toleram mais que um só rei e procuram o melhor em combate. Ademais, a aparência do rei é extraordinária, diferente dos demais, tanto pelo tamanho quanto pelo brilho.

3. Diferenciam-se contudo principalmente no seguinte: as abelhas são demasiado coléricas e, em vista do tamanho do corpo, excessivamente combativas e deixam seus aguilhões na ferroada. O rei não tem aguilhão. A natureza, não querendo que ele fosse brutal ou que procurasse vingança que haveria de custar-lhe caro, subtraiu-lhe o dardo e deixou sua fúria desarmada. Enorme exemplo para grandes reis é este; pois a natureza tem o costume de se manifestar e trazer no bojo das pequeninas coisas grandes lições.

4. Seria vergonhoso não extrair uma lição do comportamento dos diminutos animais, já que a alma humana deveria ser tanto mais moderada quanto é capaz de prejudicar mais. Oxalá que pelo menos o homem tivesse a mesma lei e que, junto com sua arma, sua raiva se despedaçasse, não pudesse fazer mal mais do que uma só vez[101] e não empregasse forças alheias para manifestar seus ódios! Ora, sua fúria rapidamente se afrouxaria se, por si mesma, fizesse bastante mal, e se, em perigo de morte, se dispersasse sua violência.

5. Porém, agora, o rei não tem nem mesmo o curso de sua vida assegurado, pois é necessário que tema tanto quanto quis ser temido,

que observe as mãos de cada pessoa e, durante o lapso de tempo em que não for apanhado, que fique julgando ser objeto de procura e não tenha nenhum momento isento de medo. Alguém suportaria levar uma vida assim, quando lhe é permitido ser inofensivo aos outros e, por essa razão, administrar tranquilo o salutar direito do poder para a satisfação de todos? Engana-se, pois, quem julga que é seguro ser rei quando nada é assegurado para o rei. A segurança deve ser pactuada através da segurança recíproca.

6. Não há necessidade de construir elevadas cidadelas nos topos, nem de fortificar colinas escarpadas nas encostas, nem de cortar os flancos dos montes, nem de se cercar com múltiplas muralhas e torres: a clemência assegurará a salvação do rei em campo aberto. O único abrigo inexpugnável é o amor dos cidadãos.

7. O que é mais belo do que viver junto de todas as pessoas reunidas que o escolheram e proferiram seus votos[102] sem coação? Se pequena vacilação de sua saúde não desperta esperanças, mas medo? Quando nada seria tão precioso que não se gostaria de trocá-lo pela salvação de seu protetor?

8. Oh, não existe um deus mais feliz do que aquele que percebe alguém vivendo para ele. Desde que ele provou, por meio de frequentes evidências de sua bondade, que o Estado não é seu, mas que ele é do Estado, quem ousaria tramar-lhe qualquer perigo? Quem não gostaria, se pudesse, de desviar também o infortúnio de um príncipe sob o qual florescem a justiça, a paz, a vergonha, a segurança, a dignidade, sob o qual a nação opulenta transborda todos os bens em abundância, e não contempla seu dirigente com sentimento diferente daquele com que contemplaríamos, reverentes e respeitosos, os deuses imortais, se eles nos dessem a possibilidade de vê-los?

9. Mas quê? Não ocupa um lugar próximo deles aquele que é gerado da natureza dos deuses, benéfico, generoso, com poder para fazer o bem? Convém buscar este ideal e imitá-lo; assim se é considerado o maior, para que se seja, ao mesmo tempo, considerado o melhor[103].

XVIII. (I,20.) 1. O príncipe costuma punir por duas razões: ou castiga por si ou castiga em nome de outra pessoa. Em primeiro lugar, discorrerei a respeito da parte que lhe concerne diretamente, pois é mais difícil ser moderado quando o castigo se deve a um ressentimento do que quando aplicado como exemplo.

2. A essa altura é supérfluo recomendar ao príncipe que não acredite facilmente, que investigue a verdade, que proteja a inocência e, para que ela seja evidente, prove que o objeto da ação não é menos importante para o juiz do que para os acusados em perigo. Na verdade, isto diz respeito à justiça e não à clemência. Neste momento, exortamos o príncipe para que, embora visivelmente ofendido, tenha seus sentimentos sob controle e conceda o castigo se puder fazê-lo com segurança; se não, que o modere e seja muito mais maleável com as afrontas feitas contra ele do que contra os outros.

3. Portanto, do mesmo modo como não é digno de uma grande alma ser generosa com bens alheios, mas doar a outros o que subtrai do seu, assim não darei o nome de clemente ao que é suscetível diante da dor alheia, porém ao que, embora tenha sido atormentado por suas farpas, não revida, que compreende ser grandeza de alma suportar afrontas estando no supremo poder, e que nada é mais glorioso do que permanecer impune, mesmo quando foi o príncipe o ofendido.

XIX. (I,21.) 1. A vingança costuma apresentar dois resultados: ou traz consolo ao que recebeu as afrontas[104], ou segurança para seu futuro. A posição do príncipe é demasiado elevada para que necessite consolo; sua força é demasiado evidente para que queira para si a reputação de violento por meio da infelicidade alheia. Digo isto do príncipe que foi atacado e ofendido por inferiores, porquanto, se ele vir a seus pés os que outrora foram seus iguais, se sentirá suficientemente vingado. Um escravo, uma serpente ou uma flecha matam um rei. Entretanto, ninguém, a não ser superior à pessoa que salvou, podia salvá-la.

2. Por esta razão, o príncipe, que tem o poder tanto de conceder a vida como de tirá-la, deve exercer corajosamente esta função dada pelos deuses. Sobretudo, em relação aos que ele sabe que outrora alcançaram uma proeminência semelhante à sua, tendo adquirido o arbítrio sobre eles, já completou sua vingança e realizou aquilo que era mais do que uma verdadeira punição; pois o homem que deve sua vida é como se a tivesse perdido, e todo aquele que, tendo sido atirado de uma alta posição para os pés do inimigo, esperando o veredicto sobre sua vida e seu reino, passa a viver para a glória de seu salvador e sua incolumidade contribui mais para a reputação dele do que se tivesse sido retirado dos olhares humanos. Pois ele é um permanente troféu do valor do outro. Num desfile de triunfo, trataria de passar rapidamente.

3. Mas, se sua coroa pode ser-lhe deixada também em segurança e ser recolocada no lugar de onde caíra, eleva-se em enorme apreço o elogio daquele que se contentou em colher de um rei vencido nada mais do que a glória. Isto é triunfar sobre sua própria vitória e atestar que o vencedor não encontrou junto dos vencidos nada que lhe fosse digno.

4. Quanto aos cidadãos, aos deconhecidos e aos humildes, o príncipe deve agir tan-

to mais moderadamente, porquanto a menor ação os aniquilaria. Que poupes alguns, prazerosamente; que sintas repugnância em vingar-te de outros e, não diferentemente do que ocorre com os insetos, que sujam quem os esmaga, tua mão também deve afastar-se deles. Ao contrário, em relação àqueles cuja graça ou castigo estarão na voz da nação, deve-se aproveitar a oportunidade para usar de uma clemência bem visível.

XX. (I,22.) 1. Passemos para as injustiças feitas a outros. Para castigá-los a lei seguiu três caminhos que o príncipe também deve seguir: ou corrige a pessoa punida; ou, com sua punição, converte os demais em melhores; ou, com a supressão dos maus, os demais vivem mais seguros. Aos próprios culpados corrigirás mais facilmente com uma punição menor, pois aquele a quem resta alguma integridade vive mais cautelosamente. Ninguém tem respeito pela dignidade perdida. Já é uma espécie de impunidade não ter espaço para castigo.

2. Porém, a sobriedade dos castigos corrige melhor os costumes nacionais. Ora, uma multidão de delinquentes cria o hábito de delinquir, e a censura é menos pesada quando o grande número de condenações a atenua; e a severidade, que contém a força de remédio, com o emprego frequente, perde a eficácia.

3. O príncipe estabelece os bons costumes da nação e lhe dilui os males, se é paciente em relação a eles, não como se os aprovasse, mas como quem chega a castigar constrangido e com grande tormento. A clemência mesma do soberano provoca vergonha de delinquir, e a punição estabelecida por uma pessoa meiga parece ser muito mais pesada.

XXI. (I,23.) 1. Além disso, perceberás que são sempre praticados os delitos que são sempre punidos. Teu pai[105], durante cinco anos, mandou costurar dentro de sacos muito mais condenados do que ouvimos mencionar em todos os séculos. Os filhos ousavam muito menos cometer sacrilégio durante o tempo em que este crime esteve sem legislação. De fato, com suprema prudência, pessoas de nível elevadíssimo e de muito grande conhecimento da natureza das coisas preferiram desconhecer este crime, colocando-o como crime inconcebível e além dos limites da audácia, do que mostrar como ele pode ser cometido, enquanto o punem. Assim começaram os parricídios com a lei consoante, e foi o próprio castigo que mostrou aos nossos filhos esta vilania. A piedade filial esteve numa situação realmente péssima, depois que vimos um número maior de sacos do que de cruzes.

2. Na nação em que os homens são raramente punidos cria-se um consenso pela inocência e predispõe-se a seu favor como se fosse um bem público. Que a nação acredite ser inocente e o será; terá mais raiva dos que se afastam da sobriedade geral, se virem que são poucos. É perigoso, acredita-me, mostrar à nação quão numerosos são os maus.

XXII. (I,24.) 1. Outrora, decidiu-se por um parecer do senado que um sinal na roupa distinguiria os escravos dos homens livres. Em seguida, ficou evidente quanto perigo nos ameaçaria se os nossos escravos começassem a nos enumerar. Sabe que se deve temer a mesma coisa, caso não se conceda perdão a ninguém; logo ficará patente em quantas vezes prepondera a parte pior da nação. Numerosas execuções não são menos vergonhosas para o príncipe do que numerosos funerais para o médico.

Obedece-se melhor ao que comanda com mais tolerância.

2. O espírito humano é rebelde por natureza e, pelejando contra o que lhe é contrário e árduo,

acompanha mais facilmente do que se deixa conduzir. E, como se dirigem cavalos de raça e de boa estirpe melhor com um freio flexível, assim, espontaneamente, a inocência segue a clemência por seu próprio impulso e a nação considera-a digna de preservá-la para si. Assim, por esta via, avança-se mais.

XXIII. (I,25.) 1. A crueldade é um defeito muito pouco humano e indigno de um espírito tão meigo. É de fera uma fúria tal que se regozija com sangue e ferimentos e, quando a criatura humana deixa de sê-lo, transforma-se em animal selvagem. Ora, que diferença há, pergunto-te, Alexandre[106], entre atirar Lisímaco a um leão ou dilacerá-lo tu mesmo com teus próprios dentes? Esta goela é tua, esta ferocidade é tua! Quanto desejarias que, de preferência, fossem tuas estas garras, fosse tua esta boca escancarada capaz de devorar homens! Não exigimos de ti que esta tua mão, a mais infalível exterminadora de amigos, seja favorável a alguém, que este espírito feroz, flagelo insaciável de nações, se satisfaça com menos do que sangue e morte. Agora, dá-se o nome de clemência quando, para executar um amigo, escolhe-se o carrasco entre seres humanos[107].

2. O que faz a sevícia ser abominada ao máximo é que, em primeiro lugar, ultrapassa os limites habituais, depois, os limites humanos, procura novos suplícios, recorre à imaginação para inventar instrumentos através dos quais a dor se diversifica e se prolonga. Ela se deleita com os sofrimentos dos homens. Neste caso, esta sinistra doença de alma atinge o cúmulo da demência quando a crueldade se converte em prazer e já se deleita em matar um ser humano.

3. Uma devastação natural segue o rastro de tal tipo de homem: ódios, venenos e espadas. É assaltado por tão múltiplos perigos quanto os muitos homens para quem ele próprio é um

perigo; algumas vezes é cercado por conspirações particulares, porém em outras ocasiões por revolta pública. De fato, ameaças ligeiras e individuais não perturbam cidades inteiras; mas aquilo que começa a espalhar seus furores amplamente e ataca a todos é golpeado por todos os lados.

4. Pequenas serpentes escapam e não são alvo da investigação pública; quando alguma ultrapassa a medida habitual e se desenvolve em monstro, quando infesta as fontes com seu escarro e, se exala algo, queima e destrói os locais por onde andou, ela é atacada por projéteis. Pequeninos males podem dar margem a discussões e passar despercebidos, mas aos ingentes a oposição pública enfrenta.

5. Assim, um só doente não perturba nem mesmo o seu lar. Mas, quando sucessivas mortes evidenciam que há uma epidemia, há clamor e evasão da cidade, e as mãos se estendem ameaçadoras contra os próprios deuses. Se aparecem chamas sob um único telhado qualquer, a família e os vizinhos jogam-lhe água; contudo, se o incêndio é vasto e já devora muitas casas, destrói-se uma parte da cidade, para extingui-lo.

XXIV. (I,26.) 1. A crueldade de cidadãos particulares foi vingada por mãos escravas, mesmo sob o risco certo de crucificação. As nações e os povos de tiranos e aqueles a quem a crueldade era um flagelo e aqueles que ela ameaçava propuseram extirpá-la. Algumas vezes, seus guardas sublevaram-se contra os próprios tiranos e aplicaram-lhes tudo o que aprenderam deles: a perfídia, a impiedade e a ferocidade. De fato, o que alguém pode esperar daquele que ensinou a ser mau? A maldade não obedece durante muito tempo, nem faz tantos males quantos se lhe ordena.

2. Mas supõe que a crueldade é segura, como se apresentaria o reino? Não diverso da

aparência das cidades capturadas e de quadros terríveis de medo público. Tudo é pesar, alarme, confusão. Os próprios prazeres são temidos. Não se vai em segurança nem a banquetes, em que a língua deve ser cuidadosamente policiada até pelos ébrios, nem a espetáculos, dos quais se investiga material para incriminar e comprometer. Embora se apresentem com grandes gastos e com opulências reais, com artistas de excelente renome, todavia a quem agradariam os jogos no cárcere?

3. Bons deuses, que maldição é esta: matar, seviciar, deleitar-se com o ruído dos grilhões, cortar as cabeças de cidadãos, derramar muito sangue por toda parte em que tiver passado e, com sua aparência, aterrorizar e afugentar? Que outro tipo de vida haveria, se os leões e ursos reinassem, se a direção do poder fosse dada às serpentes ou a qualquer animal muito mais nocivo para nós?[108]

4. Tais seres, desprovidos de razão e sentenciados por nós como desumanos, abstêm-se de atacar os seus; e, entre feras, a semelhança exterior é também uma garantia: a fúria do tirano não o controla nem mesmo diante de seus familiares, mas, considerando estrangeiros e parentes igualmente, quanto mais persegue mais estimulado fica. Depois, a partir de uma matança após outra, arrasta povos ao extermínio e considera demonstração do seu poder atirar fogo aos telhados, fazer passar o arado em vetustas cidades; e mandar matar ora um, ora outro, parece-lhe pouco poder imperial. A não ser que, num mesmo instante, um bando de infelizes esteja à espera de um golpe seu, acredita que sua crueldade tenha sido coagida a se controlar.

5. A verdadeira felicidade consiste em proporcionar salvação a muitos e, da própria morte, fazê-los retornar à vida, merecendo a coroa cívica pela clemência. Não há ornamento mais digno da

proeminência do príncipe e nada mais belo do que a famosa coroa: "por ter salvo a vida de cidadãos"[109], nem os carros manchados de sangue dos bárbaros, nem os despojos obtidos na guerra. Este é um poder divino, o de salvar multidões e em massa. Na verdade, matar muitos e indistintamente é poder do fogo e da destruição.

Notas de rodapé

Introdução

1. Cf. GRIMAL, P. *Sénèque ou la conscience de l'Empire.* 12. ed. Paris: Les Belles Lettres, 1979. Para maior uniformidade, neste estudo, respeitar-se-á a cronologia de Grimal.

2. Cf. ALBERTINI, E. *La composition dans les ouvrages philosophiques de Sénèque.* Paris: Boccard, 1923, p. 2.

3. Cf. BRÉGUET, E. Introduction. In: CICÉRON. *La république.* Paris: Les Belles Lettres, 1980, p. 7-8, em 54 a.C.

4. Cf. MICHEL, A. *Histoire des doctrines politiques à Rome.* Paris: PUF, 1971, p. 12.

5. Calígula, por inveja das qualidades oratórias de Sêneca, esteve prestes a mandar matá-lo. Em razão das intrigas palacianas, Cláudio enviou-o ao exílio e Nero obrigou-o ao suicídio.

6. SÉNÈQUE. *De la clèmence* – Texte établi et traduit par François Préchac. 3. ed. Paris: Les Belles Lettres, 1967.

7. Cf. HAASE, F. *L. Annaei Senecae opera quae supersunt.* Lipsiae/Teubner, 1852. V. 1, p. 276-304; • BASORE, J.W. "De clementia". In: *Seneca in ten volumes. I. Moral Essays.* Londres (Loeb), 1970, p. 356-447.

8. Cf. Suet. Ner., 7,3; esta responsabilidade não deveria ser fácil, pois, em sonhos, a natureza de Nero em toda a sua barbárie foi revelada a Sêneca.

9. Tac. Ann. XIII,4,2.

10. Atualmente, os pesquisadores aceitam pacificamente a gênese da obra por volta de 56 d.C., antes de Nero completar seus 18 anos. Cf. GRIFFIN, M.T. *Seneca a philosopher in politics.* Oxford: At the Clarendon Press, 1976, p. 395-411 e GRIMAL, P. *Sén. ou cons. Emp.*, p. 123-127.

11. Ora como substantivo, ora como adjetivo, a palavra aparece em P1. Mil. 1252; P1. Trin. 821;

Ter. Ad. 42; 851; 8G4; Ter. Hec. 772.

12. Cf. WEIDAUER, F. *Der Prinzipat in Senecas Schrift de Clementia.* Diss. Marburg. 1950, p. 75-84.

13. Sal. Cat. 54.

14. Cf. WEIDAUER, F. Op. cit.

15. Cic. Rep. II,27.

16. Cic. Fam. V,l.

17. Liv. 33,12,7.

18. Gel. N.A. VI.3,52.

19. Virg. Aen. VI, 851-853.

20. ERNOUT, A. & MEILLET, A. *Dictionnaire étymologique de la langue latine.* 4. ed. Paris: Klincksieck, 1967, p. 126.

21. WICKERT, L. "Princeps (ciuitatis)". R-E, Stuttgart, 1954, v. 44, col. 1988-2296, col. 2236.

22. Aug. 8,34.

23. WEIDAUER, F. Op. cit., p. 106-109.

24. WICKERT, L. Op. cit.

25. FUHRMANN, M. Die Alleinherrschaft und das Problem der Gerechtigkeit (Seneca: *De clementia).* Gym. 0/6: 481-514, 1963.

26. GRIFFIN, M.T. Op. cit., p. 149.

27. Cf. ADAM, T. *Clementia Principis*. Stuttgart: Ernst Klett Verlag, 1970, p. 83.

28. Cf. KNOCHE, U. *Vom Selbsverständis der Römer.* Heidelberg: Carl Winter Universitaetsverlag, 1902, p. 66.

29. Cf. POHLENZ, M. *Die Stoa*. Vol. 2 Göttingen: Vandenhoeck & Rupreeht, 1948, p. 192.

30. Cf. BÜCHNER, K. "Humanitas". K-P, vol. 2, col. 1241-1244.

31. Cf. POHLENZ, M. Op. cit., p. 258.

32. Cf. ADAM, T. Op. cit., p. 83.

33. Cic. Off. I,25,88.

34. Cic. Inv. II,164.

35. WEIDAUER, F. Op. cit., p. 95.

36. Cf. observações de ADAM, T. Op. cit., p. 86-88.

37. Res Gestae 34,2.

38. GIANCOTTI, F. Il posto della biografia nella problematica senechiana. IV.2. La data della morte di

Britannico. RAL, Roma, 9:587-591, 1954, foi o primeiro a observar este fato.

39. São muitos os estudos sobre a perda ou não de parte da obra. GRIFFIN, M.T. Op. cit., p. 152, n. 1, considera como muito provável que Sêneca tenha deixado a obra inacabada porque não acredita que o filósofo despenderia mais esforços com o tratado diante da carreira nefasta posterior de Nero.

40. Sen. Clem. III,2,3.

41. Sen. Clem. III,17,2.

42. Sen. Clem. Pr. I,2.

43. Sen. Clem. III,5,2.

44. Cf. observações de MORTUREUX, B. *Recherches sur le "De Clementia" de Sénèque.* Bruxelas: Latomus, 1973, v. 128, p. 79.

45. São muitas as reservas dos estudiosos à distribuição das partes do tratado *Da clemência* tal como a fez François Préchac (cf. SÉNÈQUE. *De la clémence.* Texte établi et traduit par F. Préchac. 3. ed. Paris: "Les Belles Lettres", 1967. Contudo, é esta edição que serviu de base ao presente estudo por ser de grande uso nas universidades brasileiras.

46. Sen. Clem. II,4,4.

47. Sen. Clem. III,3,5.

48. Cf. WEIDAUER, F. Op. cit., p. 63, n. 1.

49. Sen. Clem. Pr. II,2.

50. Sen. Clem. III,15,1.

51. Sen. Clem. II,1,1.

52. Ibid. II,1,1.

53. Sen. Clem. II,1,2.

54. Ibid. II,1,2.

55. Cf. FUHRMANN, M. Op. cit., p. 512-513.

56. A Association Guillaume Budé deve ter apreciado a tese de Préchac, já que escolheu seu texto para a edição de 1921 e, depois, de 1967.

57. Cf. BASORE, J.W. "Select Bibliography". In: *Sen. ten,* p. XV.

58. Cf. ibid., p. XV. A Biblioteca Municipal de São Paulo possui um exemplar de 1672: SÊNECA, L.A. *Opera quae exstant.* Integris Justi Lipsii, J. Fred. Gronovii &

Selectis variorum commentariis illustrata. Accedunt Liberti Fromondi in Quaestionum Naturalium libros & notae 8 emendationes, Amstelodami, Apud Danielem Elsevirium, cIo Ioc LxxxII.

59. HAASE, F. *L. Annaei Sen.*

60. GERTZ, M.C. Édition du *De Beneficiis* et du *De Clementia*, 1876.

61. ROSSBACH. *De Senecae philosophi librorum recensione et emendatione.* Breslau, 1888.

62. HOSIUS, C. *De Beneficiis et De clementia.* Leipzig: Teubner, 1900.

63. BUCK, J. *Seneca de beneficiis und de clementia in der Überlieferung.* Tübingen: [s.e.], 1908.

64. Cf. LEWIS, C.T. & SHORT, C. *A Latin Dictionary.* Oxford: At the Clarendon Press, 1975, p. 1.111 [A tradução de BASORE, J.W. Op. cit., p. 365, é "remissão de castigo". Sobre o assunto, cf. o aparato crítico de Préchac em SÉNÈQUE. *De la clem.*, p. 6].

65. Os manuscritos serão mencionados mais adiante, nota 80, p. 81.

66. Cf. ALBERTINI, E. *La comp. ouvr. phil. Sén.*, p. V-VI.

67. Cf. PRÉCHAC, F. Introduction. Le traité *de clementia.* Sa composition et sa destination. In: SÉNÈQUE. *De la clem.*, p. XLIII.

68. A divisão da obra, segundo Préchac, apresenta-se assim: um PROÊMIO, contendo os capítulos iniciais do livro I do texto tradicional até o final do capítulo 1,3,1, onde está o sumário; uma PRIMEIRA PARTE, contendo os dois primeiros capítulos do livro II, do texto tradicional, deslocados para logo após o capítulo I,3,1; uma SEGUNDA PARTE, contendo os cinco capítulos restantes do livro II, do texto tradicional; uma TERCEIRA PARTE, que, repetindo o final do capítulo I,3,1, completa-se com todos os capítulos restantes do livro I, do texto tradicional, isto é, vinte e três capítulos.

69. Cf. PRÉCHAC, F. "Intr.", p. XCVII. Todos os manuscritos apresentam a mesma alteração, cf. p. XLII.

70. Cf. ibid., p. XCIV.

71. Cf. ibid., p. XCV-XCVIII.

72. Cf. ibid., p. C.

73. Cf. p. 23-25.

74. Cf. SÉNÈQUE. De clem., p. 6. O sumário estabelecido por Préchac ficou da seguinte maneira: Pr. II,3, *Nunc in tres partes omnem hanc materiam diuidam. Prima erit* HUMANISSIMI NERONIS; *secunda ea, quae naturam clementiae habitumque demonstret, nam cum sint uitia quaedam uirtutes imitantia, non possunt secerni, nisi signa, quibus dinoscantur, inpresseris; tertio loco quaeremus, quomodo hanc uirtutem perducatur animus, quomodo confirmet eam et usu suam faciat.* (De momento, dividirei toda esta matéria em três partes. A primeira tratará da grande humanidade de Nero. A segunda examinará a natureza e apresentação da clemência, pois, como existem certos defeitos que parecem virtudes, não se pode separá-los a não ser que lhes demarques os sinais com os quais se diferenciem. Em terceiro lugar, investigaremos como a alma seria levada à virtude da clemência, como a consolidaria e a faria sua pelo uso.)

75. Cf. ibid., p. LXXVI-LXXXV.

76. Cf. ibid., p. LXXXV.

77. Cf. ibid., p. LXXVIII.

78. Cf. ibid., p. LXXXI-LXXXII.

79. Cf. ibid., p. CIV.

80. Cf. ibid., p. VI. O manuscrito mais antigo é o de Lorsch (*Nazarianus* -N), conservado na biblioteca do Vaticano sob o n. 1547. O texto de *N* foi retocado por diversas mãos. Aparecem correções ortográficas, palavras estropiadas, separação de palavras, pontuação, encontro de palavras, resultando a partir dele dois outros manuscritos: N_1 e N_2 (p. XV). Normalmente as correções são precedidas por um sinal *z*, na margem, que pretendem melhorar o texto (p. XV). Os outros manuscritos que contêm a *Da clemência* são:

R. *Reginensis* (Vat. n. 1529), (p. XVII); o os *deteriores* (p. XVII- XVIII); P. *Parisinus* 6382;

S. *Parisinus* 16592 (Sorbonicus 1586), confrontado diretamente por Préchac;

F. *Laurentianus* (Plut. LXXVI,36);

A. *Amplonianus* (Erfurth, in-4º, n. 3);

L. *Leidensis.* supplem. 459;

T. *Parisinus* 8542, também confrontado por Préchac; cod. *Pincianus* (p. XXIII);

exemplar scholasticum (= Scholarum Salmaticensium)

e *codex Diui Francisci (Salmaticensis)*, denominado *Franciscanus* (p. XXV).

81. Cf. ibid., p. VI-VII.

82. Cf. ibid., p. VII.

83. Cf. ibid., p. XVIII-XLII.

84. Cf. ibid., p. XXVIII-XXXI.

85. Cf. ibid., p. XLIII-XLVIIII.

86. Cf. ibid., p. XLIX-LVI.

87. Cf. ibid., p. LVI-LXV.

88. Cf. ibid., p. LXV-LXXIII.

89. Cf. ibid., p. LXXI-LXXII.

90. P. 150-155.

91. P. 152.

92. Sen. Clem. Pr. II,3.

93. Cf. ALBERTINI, E. Op. cit., p. 152-154.

94. Cf. ibid., p. 154-155.

95. Cf. ibid., p. 262-263.

96. SÉNÈQUE. *De la clémence.* Texte revu, accompagné d'une introduction, d'un commentaire et d'un *index omnium uerborum,* par P. Faider: Tome I, 1re Partie: Introduction et texte (Gand et Paris, 1928).

97. Cf. HERRMANN, L. Encore le *De clementia.* REL, 36: 353-358, 1934.

98. Cf. GRIMAL, P. La composition dans les "dialogues" de Sénèque. I. Le De constantia sapientis. REA, 51: 246-261, 1949; La composition dans les "dialogues" de Sénèque. II. Le De providentia. REA, 52: 238-257, 1950.

99. Cf. ibid., De const. sap., p. 259-960.

100. Cf. De prov., p. 247-248.

101. Cf. ALBERTINI, E. *La comp. ouvr. phil. Sén.,* p. 243.

102. Cf. WEIDAUER, F. *Der Prinzipat in Sen.,* p. 105.

103. GIANCOTTI, F. Il posto della biografia nella problematica senechiana. I. Dall'esilio al *Ludus* de *morte Claudii.* RAL, Roma, 8: 52-68, 1953; Il posto... II. Da quando e in che senso Seneca fu maestro di Nerone. RAL, Roma 8: 102-117, 1953; Il posto... Seneca antagonista d'Agripina. RAL, Roma, 8: 238-262, 1953; IV.1. Sfondo storico e data del "De clementia". RAL, Roma, 9: 329-344, 1954; IV.3. L'ispirazione. RAL, Roma, 9: 591-597, 1954; IV.4, Stato

del testo. RAL, Roma, 9: 597-609, 1954; IV.5. Struttura del De clementia. RAL, Roma, 10: 36-61, 1955.

104. Cf. id., IV.4. Stato del texto, p. 597-599.

105. Cf. FUHRMANN, M. Allein. u. Prob. der Gerech.

106. Cf. LÓPEZ KINDLER, A. Problemas de composición y estructura en el De clementia de Séneca. *Emérita,* Madri, 34 (1): 39-68, 1966.

107. Cf. ibid., p. 43-46.

108. Cf. ibid., p. 51.

109. Cf. ibid., p. 47.

110. Cf. BÜCHNER, K. Aufbau und Sinn von Senecas Schrift über die *Clementia. Hermes,* Wiesbaden 98/2: 203-223, jul. 1970.

111. Cf. ibid., p. 207.

112. Cf. ibid., p. 205.

113. Cf. ibid., p. 207-208.

114. Cf. ibid., p. 220.

115. Cf. ADAM, T. *Clem. Princ.*

116. Cf. ibid., p. 12.

117. Cf. ibid., p. 10 e 128.

118. Cf. MORTUREUX, B. *Rech. sur clem.*

119. Cf. ibid., p. 8-10.

120. Cf. ibid., p. 12-13. Cf. ALBERTINI, E. *La comp. ouvr. phil. Sén.,* p. 69-73.

121. Cf. MORTUREUX, B. Op. cit., p. 68-69.

122. Como a presente tradução segue o texto de Préchac, os números dos capítulos citados no esquema de Mortureux foram transcritos de acordo com o texto de Préchac.

123. Cf. ibid., p. 20-30, n. 1.

124. Cf. GRIFFIN, M.T. *Sen. a phil. in pol.*

125. Cf. ibid., p. 152, n. 1.

126. Ibid.

127. Cf. GRIMAL, P. *Sén. ou cons. Emp.* Grimal publicou em 1957 uma primeira biografia de Sêneca, *Sénèque,* à qual não tivemos acesso.

128. Cf. ibid., p. 121, n. 229.

129. Cf. ibid., p. 120-121.

Tratado sobre a clemência

1. Citar o espelho no início da obra já dá indicações do tipo de tema ou problema que será tratado. Servindo como espelho para retratar o soberano (um tipo de literatura que os alemães denominam *Fürstenspiegel)*, Sêneca apresentará ou uma filosofia de Estado, ou uma ocorrência política ou uma personalidade política. Perderam-se muitos escritos deste tipo de literatura *περί βασιλεῖας*. Alguns escassos restos dela deveriam ser do conhecimento de Sêneca, cf. WICKERT, L. "Princ.", col. 2222-2234; ADAM, T. *Clem. Princ.*, p. 12-19; GRIFFIN, M.T. *Sen. a phil. in pol.*, p. 148-149.

2. Sêneca assimilara o costume estoico de fazer um exame de consciência sobre todos os eventos que ocorriam durante o dia. Conservou esta prática durante toda a sua vida. Observava com a meticulosidade de um médico os sintomas do estado de sua alma ou verificava, com satisfação, algum progresso moral. Cf. POHLENZ, M. *Die Stoa*, p. 318.

3. Segundo observação de J. Rufus Fears, a brevidade com que Sêneca abre o discurso de Nero dá a entender que pretende evitar redundâncias, já que no mundo greco-romano era bastante difundido o conceito de eleição divina do soberano. Cf. FEARS, J.R. Nero as the vice-regent of the gods in Seneca's *De clementia. Hermes,* Wiesbaden, 103: 486-496, 1975, p. 495.

4. Cf. comentário de FAIDER, P. "Introduction". In: Sénèque, *De la clémence.* Texte revu, accompagné d'une introduction, d'un commontaire et d'un *index omnium uerborum,* v. 1, 1re partie: Introduction et texte (Gand et Paris, 1928), p. 19. *Nostro* que aparece no texto não é plural majestático. Trata-se da resposta da Fortuna e de seu porta-voz, o imperador.

5. A tradução tenta reproduzir a construção anafórica do texto: *quas ... quas, quibus ... quibus, quos ... quorum, quae ... quae.*

6. Cf. ADAM, T. *Clem. Princ.,* p. 43. Esta é uma predisposição para aplicar a justiça, mas não obrigação de fazê-lo.

7. *Nec ui nec clam* é expressão técnica da linguagem jurídica, empregada metaforicamente, cf. D'ORS, A. "Seneca ante el tribunal de la jurisprudencia". In: *Estúdios nobre Seneca.* 8ª Semana española de filosofia. Madri: Inst. Luis Vivés de Filosofia, 1966, p. 105-129, p. 117.

8. Cf. FAIDER, P. Op. cit., p. 32. "Os primeiros tempos de Tibério César" seriam uma continuação da Idade de Ouro.

9. Cf. GRIMAL, P. Le *de clementia* et la royauté solaire de Néron. REL, 49: 205-217, 1971, p. 214. O presente discurso constitui a *nuncupatio uotorum*, ocorrida no Capitólio, nas calendas de janeiro de 56.

10. Estas palavras parecem referir-se deliberadamente ao discurso de Nero, escrito por Sêneca, pronunciado diante do senado, por ocasião de sua posse, cf. Tac. Ann. XIII,4; Suet. Ner. 10,1. Contudo, para Adam, a promessa de Nero de respeitar a forma republicana de governo seria um pronunciamento de acordo com o que se esperava dele na ocasião. Suas palavras nada mais eram do que resquícios da tradição republicana, ainda comum e corrente, mas que não devem ser consideradas mais do que mera fórmula de discurso. Cf. ADAM, T. *Clem. Princ.*, p. 58.

11. A liberdade não é vista como a liberdade republicana que permitia movimentar-se em limites fixados pela política, religião e moral, e participar da vida política. Aqui, a liberdade é uma condição, que se caracteriza pelo interesse da segurança de cada um, porém, só juridicamente. Cf. WICKERT, L. "Princ.", col. 2096.

12. Cf. EISENHUT, E. "Clementia". K-P, 1979, v. 1., col. 1223. Por determinação do senado foi construído um templo para a deusa Clemência e Júlio César, em que apareciam dando-se as mãos. Nada restou deste monumento, sequer se sabe sua localização (Referência em Plut. Caes. 47).

13. Cf. CIZEK, E. *Nér.*, p. 361, *persona*, aqui, tem o sentido tanto de papel de ator quanto de função social, como estatuto de pessoa.

14. O problema de *manumissionis* foi tratado nas p. 20-30.

15. As mesmas palavras *Vellem literas nescirem!* aparecem em Suet. Ner. 10,3.

16. Segundo observação de Mortureux, esta é uma imagem do conceito de poder em que o príncipe é reduzido a um papel moral. Seu comportamento serve unicamente de exemplo e modelo para o povo. É uma concepção talvez mais otimista, bastante menos exaltada, mas seguramente mais afastada da doutrina estoica. Cf. MORTUREUX, B. *Rech. sur clém.*, p. 79.

17. Cf. Tac. Ann. XV,61,1: "Nero experimentou a franqueza de Sêneca mais frequentemente do que seu servilismo".

18. Esta citação do Atreu de Ácio aparece em Sen. De ira I,20,4.

19. Cf. WIDMAN, J. "Busiris". K-P, vol. 1, col. 974. Segundo lenda greca, o rei Busíris, que foi abatido por Hércules, sacrificava estrangeiros.

20. Cf. GEISAU, H. v. "Prokrustes". K-P, vol. 4, col. 1170. Procrustes é o último dos monstros, morto por Teseu a caminho de Atenas. Vivia perto de Atenas e martirizava os passantes até a morte, esticando-lhes os membros com seu martelo até que coubessem em sua imensa cama.

21. Cf. VOLKMANN, H. "Phaleris". K-P, vol. 4, col. 698-699. Tirano que se tornou famoso e lendário por torrar seus inimigos dentro das entranhas incandescentes de um touro de bronze.

22. Cf. FAVEZ, C. Les opinions de Sénèque sur la femme. REL, 46: 335-345, 1938, p. 336. Em Sêneca esta sensibilidade cega é atribuída à mulher porque ela se deixa comover por seu instinto e não pela razão.

23. Cf. FUHRMANN, M. Die Allein. u. Prob. der Gerech., p. 484. O fato de Sêneca ligar o ato da clemência a uma causa leva à Escolástica e aos mestres do direito da natureza.

24. Suílio, temível acusador de Sêneca, vê no estoicismo do filósofo um meio de reunir riquezas. Cf. Tac. Ann. XIII,42,4.

25. Em *libens et altus animo faciet*, temos construção com ablativo de ponto de vista.

26. Cf. GRIFFIN, M.T. *Sen. a phil. in pol.*, p. 156. A objeção de Sêneca à *misericórdia* se deve ao fato de ela ser uma forma de *aegritudo* que, sendo um *πάθος*, o *sapiens* não deve sentir.

27. Cf. D'ORS, A. "Sen. ante el trib. jur.", p. 124. Em *sub formula* temos o emprego da linguagem jurídica, que se expressa por fórmulas.

28. Cf. GRIFFIN, M.T. *Sen. a phil. in pol.*, p. 147. Esta é uma demonstração da impaciência de Sêneca, semelhante ao que ocorre em outras obras como, por exemplo, De ot., 7,1.

29. Este trecho, *Tertio loco ... faciat*, é a repetição do fim do proêmio, que não consta dos manuscritos e foi inserido aqui para dar continuidade ao tratado, segundo a tese de Préchac. Cf. p. 22, n. 68.

30. Cf. BASORE, J.W. "De Clementia". In: *Sen. ten,* p. 364. Referência à responsabilidade estoica do indivíduo para com a comunidade.

31. Cf. ibid., op. cit. Alusão ao epicurismo.

32. Ideia semelhante aparece em Sen. De ira I,3,2: "para prejudicar, somos poderosos".

33. Cr. BÉRANGER, J. Pour une définition du principat. REL, 21-22: 144-154, 1943-1944, p. 149. Esta ideia é uma dívida da língua filosófica ao vocabulário militar.

34. Cf. PITTET, A. *Esssai d'un vocabulaire philosophique de Sénèque.* Paris, "Les Belles Lettres", 1937, p. 96. A alma, neste passo, tem valor de princípio de vida e força vital, acepção que não se encontra em Cícero.

35. Com outras palavras, o mesmo pensamento aparece em Sen. De B.V. 2,1.

36. Cf. GROSS, W.H. "Mucius". K-P, vol. 3, col. 1441-1445, col. 1442. Alusão à lenda, de Múcio Cévola, herói da guerra de 507 a.C., contra Porsena. Múcio havia penetrado na tenda etrusca para matar Porsena, mas, equivocando-se, matou o escrivão do rei. Durante o interrogatório revelou seus propósitos e para reforçar sua coragem e amor pela pátria estendeu sua mão direita às chamas. Daí a expressão: *et facere et pati fortia Romanum est* (Liv. 2,12,9).

37. Cf. GUNDEL, H.F. "Curtius". K-P, vol. 1, col. 1348. Quando no ano de 362 a.C. uma enorme e profunda fenda se abriu no *Forum,* o oráculo anunciou que ela se fecharia, somente se o maior bem de Roma lhe fosse oferecido como sacrifício. Esporeando seu cavalo, M. Cúrcio atirou-se na tenda. Sua morte gloriosa teve resultado e permaneceu como figura da lenda popular.

38. Cf. MORTUREUX, B. *Rech sur clem.,* p. 79. É este um conceito de poder segundo a filosofia política estoica: a autoridade, que domina o povo, retendo suas tendências anárquicas, contribuindo para ordenar o mundo, provém de sua própria grandeza e poder, que, por sua vez, pertencem aos deuses.

39. Versos de Virg. Geor. IV,212.

40. Cf. WALTZ, R. *Vie de Sénèque.* Paris: Perrin, 1909, p. 77-78 e n. 1. Uma revolução republicana traria grande perigo para Roma, pois conduziria a "guerras intestinas o à dissolução rápida da imensa unidade romana".

41. No texto latino temos *qui* como forma de ablativo de *quis*.

42. Cf. POHLENZ, M. *Die Stoa*, p. 315. Esta referência revela que não se pensa mais em liberdade como o maior bem político ou como um direito natural do homem.

43. Cf. GRIFFIN, M.T. *Sen. a phil. in pol.*, p. 142-147. O emprego do termo rex está sendo deliberadamente usado para chamar a atenção. Cf. p. 53, n. 3.

44. Cf. ibid., p. 146-157. Aqui, Griffin vê uma expressão de impaciência e irritação para com os que atribuem demasiada importância ao *summi fastigii uocabulum* (Sen. Ep. 73,1).

45. Cf. id., ibid., p. 143: "esta é a fórmula mais admirável que ocorreu a Sêneca para descrever a necessidade de um principado em Roma".

46. Neste passo: *in quem* se res *p. conuertit,* o verbo "personificar" parece reproduzir melhor o pensamento de Sêneca. Seu emprego aqui se deve a um empréstimo da tradução de Préchac. Cf. SÉNÈQUE. *De la clem.,* p. 18.

47. Cf. D'ORS, A. "Sen. ante el trib. jur.", p. 117. *In tribunali quam in plano* é expressão técnica do caráter jurídico.

48. Alusão ao processo de Agripina, cf. Tac. Ann. XIII, 19-21.

49. Cf. Plin. Nat. 8,7,7 § 23: "Contra os mais fracos é tanta a clemência do elefante que ele separa, com a tromba, os animais que estão à sua frente para não esmagá-los imprudentemente. Não fazem mal, a não ser se provocados. E, como andam sempre em manadas, são os menos solitários de todos os animais. Cercados por uma cavalaria, reúnem no centro os doentes e os enfermos, e depois atacam como se fossem dirigidos por um comando ou uma razão".

50. Cf. Plin. Nat. 8,19 § 48: "Entre as feras, somente o leão demonstra clemência pelos suplicantes. Poupa os prostrados. Quando ataca, rosna antes contra os homens do que contra as mulheres, e não ataca as crianças a não ser em caso de muita fome".

51. Em *meritis amittere,* temos emprego de infinitivo como complemento nominal de adjetivos ligados a verbo. Cf. ERNOUT, A. & THOMAS, F. *Syntaxe latine.* 2. ed. Paris: Klincksieck, 1972, p. 269-270.

52. Cf. CONDE GUERRI, E. *La sociedad romana en Séneca.* Dep. de publ. Universidad de Murcia, 1979, p. 341-344. São o teatro de Pompeu, edificado em 55 a.C.,

primeiro teatro estável de Roma, de pedra, e o teatro de L. Cornélio Balbo, também de pedra, localizado perto do Tibre, e ainda o teatro de Marcelo, iniciado por Júlio César e concluído por Augusto. Os três teatros estavam localizados próximos um do outro, o que deveria facilitar o acesso do povo que ali se concentrava.

53. Cf. ERNOUT, A. & MEILLET, A. *Dict. étym.*, p. 58, 289-299 e 639. *Haruspex. -icis*, m., é aquele que examina as entranhas das vítimas, ao contrário de *auspex*, que examina os voos dos pássaros. O primeiro termo da palavra *haruspex* significa vísceras, ao passo que o segundo termo provém do verbo *specio, -ere.* Conforme Préchac, em nota à sua tradução (cf. p. 21, n. 1), Júpiter castigava os crimes dos soberanos com seus raios. Os arúspices recolhiam e examinavam os restos das vítimas.

54. Cf. ADAM, T. *Clem. Princ.*, p. 27. Adam interpreta *nobilis seitus* como tradução da conhecida citação da Antígono Gônatas *εὔδοξος δουλεία*. A cética recomendação de Antígono ao filho esclarece que toda glória divina ou endeusamento do governante deve permanecer-lhe afastada e desconhecida.

55. Mesmo tipo de restrição aparece em Sen. Ad Pol. 7,2.

56. Cf. GRIMAL, P. Le *De clementia* et la royauté solaire de Néron. REL, 49: 205-217, 1971. Provavelmente alusão a uma imagem egípcia, cuja língua possui uma mesma palavra para designar o ato do o rei sair do palácio para aparecer em público (*prodire*, no texto latino) e, ao mesmo tempo, a aparição do sol subindo ao céu, no Oriente (*oriris*, no texto latino). Esta seria uma tentativa de associar um fato da história pessoal de Nero, que nasceu em Âncio, na manhã de 15 de dezembro de 37, e foi banhado pelos raios do sol nascente antes mesmo que estes tocassem a terra, com uma fórmula usual da etiqueta egípcia para se dirigir ao soberano.

57. Cf. HOMO, L. *Les inst. pol. rom.*, p. 242-244. Este período de 43 a 27 a.C. era irregular e revolucionário, a começar pela entrada de Otávio no senado aos 19 anos e, depois, pela sua eleição ao consulado e pelo próprio triunvirato, uma sociedade de três chefes militares, referendado e legalizado pelo senado.

58. Cf. FITZLER, K. & SEECK, O. "Iul.", col. 293-295. No fim de 43 a.C., durante as difíceis conversações entre Otávio (ainda não denominado Augusto), An-

tônio e Lépido, que ocorreram na meia ilha formada pelo Reno e Lavínio, perto de Bonônia, Otávio teve de submeter-se a certas condições que o todo-poderoso Antônio lhe impunha. Uma delas foi a decisão de lavrar prescrições, segundo o modelo de Sila. Depois de dois dias de deliberações, Otávio, na qualidade de cônsul, leu as resoluções diante das tropas dos três chefes, omitindo, na leitura, os nomes dos proscritos. Enviaram a Roma um emissário com ordens para eliminar logo dezessete dos mais perigosos proscritos; entre estes estava Cícero, que Otávio não pudera preservar. Na noite que se seguiu ao dia 27 de novembro, o edital de proscrição foi abertamente divulgado. Acrescentaram cento e trinta nomes aos condenados. Fizeram, ainda, numerosos acréscimos até atingirem o número de trezentos senadores e dois mil cavaleiros. Otávio opôs-se às execuções em massa; no entanto, parece que, uma vez decididas, teria sido mais cruel que seus colegas; toda vez que podia, perdoava os proscritos, e muitas vezes recompensava os que salvava.

59. Cf. FITZLER, K. & SEECK, O. "Iul.", col. 370-371. Aqui, os manuscritos informam que Augusto (nascido em 23-9-63 a.C.) sofreu o atentado com 40 anos *(cum annum quadragesimum transisset).* Ora, ao adotar o texto de Préchac, estamos diante de Augusto com 60 anos *(cum annum sexagesimum transisset)* que em nada melhora nossa situação, pois as épocas em que Augusto esteve na Gália *(in Gallia moraretur)* foram 27 a.C., 25-24 a.C., 16-13 a.C. e 10 a.C.

60. Cf. GRIFFIN, M.T. *Sen. a phil. in pol,* p. 421, n. 2. Segundo ela, existe um Cneu Cornélio Cina Magno, cônsul em 5 d.C., e existe um Lúcio Cornélio Cina, que foi cônsul, em 32 a.C., que Sêneca refere em Ben. 4,30,2. A personagem do tratado *Da clemência* é o primeiro Cina. Cf. tb. SPEYER, W. Zur Verschwörung des Cn. Cornelius Cinna. RhM, Frankfurt am Main, 99/3: 277-284, 1956.

61. Cf. HOMO, L. *Les inst. pol. rom.,* p. 293. Desde o começo do governo de Augusto, o senado respondia às prescrições imperiais com conspirações. Foram numerosas as conspirações; entre outras são famosas a de Murena (22 a.C.), a de Cornélio Lêntulo Getúlico e de M. Lépido na época de Calígula (em 39 d.C.), e a de Pisão (65 d.C.).

62. Cf. GRIFFIN, M.T. Op. cit., p. 410-411. A conspiração de Cina contra Augusto só aparece em Sêneca e Dião Cássio (cap. 55, 14-22). Portanto, Sêneca é a fonte histórica mais primitiva que conhecemos, e a infor-

mação de Dião Cássio provém direta ou indiretamente de Sêneca. Cf. tb. SPEYER, W. Op. cit., p. 277.

63 Cf. MORTUREUX, B. *Rech. sur clem.*, p. 26-27. Este crime caracteriza-se como *sacrilegum*, isto é, crime religioso, já que Augusto deveria ser assassinado durante o exercício de suas funções de sacerdote.

64. A mesma desesperança aparece em Sen. B. V. 4,2.

65. O mesmo argumento, em Sen. Cons. ad Hel. 2,2.

66. Cf. GUNDEL, H.G. "Salvidienus". K-P, vol. 4, col. 1525-1526. Salvidieno era amigo de juventude de Augusto. Acompanhou-o em suas campanhas e ocupou cargos de confiança. Suas conferências com Antônio antes do tratado de Brindes foram consideradas por Augusto como traição. Por esta razão, foi obrigado a suicidar-se.

67. Cf. id., "Lepidus". K-P, vol. 3, col. 576-578, col. 578. Filho do triúnviro, afastou-se de Augusto e, depois da batalha de Ácio, foi executado.

68. Cf. DEIWSMANN-MERTEN, M. "Terentius". K-P, vol. 5, col. 592-597, col. 596. A.T. Varrão Murena chegou a ser cônsul junto com Augusto em 23 a.C. No mesmo ano foi denunciado como participante de uma conspiração, sendo obrigado a morrer. Uma de suas irmãs era mulher de Mecenas, outra foi avó de Sejano. Apesar de sua ligação com Mecenas, nada se pôde fazer para salvá-lo.

69. Cf. HANSLIK, R. "Fannius". K-P, v. 2, col. 513. Fânio Cepião tomou parte na conspiração de Murena. Condenado à morte, foi denunciado por um escravo e assassinado em Nápoles.

70. Cf. id., "Egnatius". K-P, vol. 2, col. 206. Em 22 a.C., Egnácio Rufo foi edil; em 21, foi pretor. Em 19 a.C. já pretendia ser cônsul. Encontrando resistências às suas aspirações, conspirou contra Augusto. Por este motivo, foi preso e morto.

71. Cf. PRÉCHAC, F. "Intr.", p. LVII, n. 2. L. Emílio Paulo foi cônsul no ano 1 da nossa era; Paulo Fábio Máximo, no ano 11 a.C.; Cosso Cornélio Lêntulo, no ano 1 a.C.; M. Servílio Noniano, no ano 3 d.C. (Cf. p. 26, n. 2, de sua tradução.) Préchac informa que estas personagens pertenciam às famílias mais tradicionais *(gens Aemilia, Fabia, Cornelia, Seruilia)*.

72. Cf. PRÉCHAC, F. Op. cit., p. 27, n. 1. C. Crispo Salústio era o sobrinho do historiador; M. Coceio

Nerva era ancestral do imperador Nerva e Délio era o "acrobata das guerras civis" (Sen. Rhet. Suas. 1,7).

73. Cf. ibid., p. 27, n. 3. Cn. Domício era o bisavó de Nero.

74. Cf. GUNDEL, H.G. "Lepidus". K-P, vol. 3, col. 576-578. M. Emílio Lépido nasceu por volta do ano 90 a.C. e morreu em 12 a.C. Pessoa inexpressiva, devia seu cargo de triúnviro a César. Depois do assassinato de César, não tomou nenhuma providência decisiva. Marco Antônio fê-lo eleger-se *pontifex maximus*, a fim de assegurar-se de sua cooperação.

75. Cf. HOMO, L. *Les inst. pol. rom.*, p. 257-259. Uma das grandes bases da autoridade imperial era o poder religioso que se definia por meio da obtenção do cargo de pontífice, *pontifex maximus*. O imperador personificava este poder desde a velha realeza. É a união do poder temporal com o poder espiritual. O imperador exerce uma série de atribuições precisas e específicas. Intervém no recrutamento dos sacerdotes (que na época republicana eram eleitos pelo povo) dos quatro grandes colegiados: os pontífices, os áugures, os *quindecenuiri sacris faciundis* e os feciais. Cf. ELLUL, J. *Inst. pol.*, p. 273-276. Os áugures eram superiores aos pontífices. Interpretavam o voo e o canto dos pássaros. Os pontífices eram primitivamente os auxiliares; auxiliavam os áugures, guardavam a ponte do Tibre e as portas de acesso ao recinto onde se desenrolavam os processos. Cf. FITZLER, K. & SEECK, O. "Jul." R-E, col. 317. O cargo de pontífice máximo era uma honra e um direito sagrado de caráter vitalício, segundo as tradições dos antepassados. Augusto achava que estava na hora de voltar às antigas tradições e esperou até o ano do 12 a.C., ano em que Lépido morreu, para investir-se do cargo de pontífice máximo.

76. Cf. FITZLER, K. & SEECK, O. Op. cit., col. 355. Júlia, que na época tinha 38 anos, estava levando uma vida desregrada, fato em que seu pai não acreditava. No entanto, seus excessos foram tantos e tão públicos que Augusto tratou a filha não como adúltera, mas como sacrílega e traidora. Entre seus numerosos amantes, um deles, Antônio, teve de ser executado, porque era filho do triúnviro Marco Antônio, portanto, passível de ter interesses no relacionamento com a filha do imperador. Os outros, pertencentes às mais ilustres famílias, foram banidos. Quanto à própria Júlia, decretou-se sua separação do marido Tibério e o seu banimento para a Ilha Pandatária.

77. Sêneca não alinhou os eventos históricos em ordem cronológica. Cf. FITZLER, K. & SEECK. O.

Op. cit., col. 330-332. A batalha de Ácio, que selou o término das rivalidades entre Marco Antônio e Otávio, ocorreu em 2 de setembro de 31 a.C. Otávio perdeu cinco mil homens, ao passo que seus inimigos perderam doze mil homens, além de terem feridos em número de seis mil.

78. Cf. ibid., col. 312. No ano 36 a.C., no dia 1º do mês que tem o nome do divino Júlio, três frotas partiram, ao mesmo tempo, de lugares diferentes contra a Sicília. A frota principal, comandada por Otávio e Agripa, saiu de Putéolos, a frota emprestada por Marco Antônio, sob o comando de T. Estatílio Tauro, saiu de Tarento e a frota de Lépido, sob seu comando, saiu da África. No terceiro dia de viagem, uma gigantesca tempestade causou graves prejuízos às três frotas. Tauro conseguiu voltar para seu porto de partida, Lépido perdeu alguns navios, mas conseguiu encontrar refúgio. Porém Otávio foi surpreendido entre as montanhas de Minerva e Palinuro, onde não havia porto, de modo que sua frota sofreu pesadas avarias.

79. Cf. ibid., col. 301-302. A fome grassava implacável em Perúsia, que estava sob o controle de Lúcio Antônio. Tomando o partido do irmão Marco Antônio, Lúcio hostilizava Otávio e resolveu entregar Perúsia somente depois que muitos cidadãos eminentes o abandonaram e passaram para o acampamento de Otávio, por quem foram amigavelmente recebidos. Isto ocorreu antes de 15 de março de 40 a.C., provavelmente nos últimos dias de fevereiro, pois as tropas ainda estavam nos quartéis de inverno. Otávio perdoou Lúcio Antônio e seu exército. Porém os cidadãos de Perúsia foram executados e a cidade entregue à pilhagem e, em seguida, ao fogo. Além disso, no dia 15 de março, dia da morte de César, trezentos senadores e cavaleiros foram massacrados no altar do novo deus.

80. Cf. PRÉCHAC, F. "Intr.", p. CXI; este elogio, após o assassinato de Britânico, não tem sentido para Préchac. Daí as alterações de datas que propôs. Acontece que Augusto nasceu em 23 de setembro de 63 a.C.; durante as proscrições que ocorreram em 43 a.C., tinha 20 anos de idade; portanto, aos 18 anos, na idade referida por Sêneca, Augusto ainda não tinha "enterrado o punhal no peito de seus amigos", nem tinha "procurado golpear traiçoeiramente o flanco do cônsul Marco Antônio" e, principalmente, não "tinha sido seu colega de prescrições". Então, parece que estamos diante de uma incompatibilidade, uma vez que Nero tinha 18 anos, segundo o texto de Sêneca,

e Augusto, na época desses acontecimentos, 20 anos. Por isso, Préchac propõe um acréscimo no interior do próprio numeral: *duodeuicem(simum annum ingressus. Vicen)simum*, obtendo assim o resultado de que Nero ingressava no seu décimo oitavo ano de vida; tinha, portanto, 17 anos, e Augusto saía de seu vigésimo ano. Assim, a obra teria sido escrita antes da morte de Britânico e os eventos a respeito de Augusto estariam na data certa.

81. Os estudiosos não aceitam mais a alteração das datas. Parece muito sensata a síntese de ADAM, T. *Clem. Princ.*, p. 10, n. 2: exatamente porque Sêneca parece ter iniciado o tratado depois da morte de Britânico, devia proceder como se acreditasse na versão oficial da inocência de Nero, por razões táticas e diplomáticas. Cf. Tac. Ann. XIII,16,3, a morte de Britânico ocorrera durante uma ceia. Fora-lhe servida uma bebida demasiado quente para beber. Para temperá-la, acrescentaram-lhe água fresca com veneno. Imediatamente apôs tê-la ingerido, Britânico ficou paralisado. Aos convivas assustados, Nero declarou que se tratava de mais um ataque de epilepsia, versão esta que permaneceu oficial.

82. Cf. HOMO, L. *Les Inst. pol. rom.*, p. 265. O princípio de hereditariedade de origem oriental, introduzido brutalmente sobre a opinião pública romana, mas rejeitado pela mesma por não ser compreendido. Não o entendiam. Todavia, Augusto soube dispor da sucessão. Considerou-se herdeiro de César e contornou o problema de sua própria sucessão por meio de dois expedientes: a adoção e a associação parcial do poder imperial.

83. Cf. ADAM, T. *Clem, Princ.*, p. 26. Esta diferença entre rei e tirano atesta a realidade romana. Não se trata aqui de uma pergunta sobre o que é decisório: a obediência voluntária dos súditos, a instituição legal ou a usurpação do soberano. Nessa época, o principado já está consolidado. O poder de um só é aceito sem qualquer discussão. A única questão que interessa é determinar se o soberano onipotente usa o seu poder para o bem.

84. Cf. KIECHLE, F. "Dionysios". K-P, v. 2, col. 62-66. Dionísio, tirano de Siracusa, é o iniciador de uma das mais poderosas dinastias de tiranos. Viveu aproximadamente entre 430 e 367 a.C.

85. Apesar de Sêneca propor que voltará a tratar do assunto de Sila, não o faz. Cf. discussões de ALBERTINI, E. *La comp. oeuvr. phil. Sén.,* p. 151, n. 3.

86. Cf. MORTUREUX, B. *Rech. sur clem.,* p. 35. As respostas a esta pergunta são "uma análise precisa do estado de alma e do comportamento de um tirano. São um verdadeiro breviário a ser usado pelo príncipe, a quem elas ditam sucessivamente as atitudes que ele deve rejeitar e as que deve incorporar".

87. Cf. ADAM, T. *Clem. Princ.,* p. 28. A ninguém o *pater familias* precisa prestar contas dos atos que estabelece no interior do seu lar, sejam punições ou sejam perdões.

88. O título de *Pater Patriae* foi outorgado a Nero no fim do ano 55 ou começo de 56; cf. GRIMAL, P. *Sén. ou cons. Emp.,* p. 120. Cf. tb. HOHL, E. "Domitius (Nero)". R-E, Stuttgart, 1918, supl. 3, col. 391.

89. Cf. CONDE GUERRI, E. *La soc. rom. en Sen.,* p. 62-63. Com seu ato, Triconte provocou repulsa geral, tanto de pais quanto de filhos. Triconte seria um dos muitos cavaleiros que vegetam no anonimato, de onde Sêneca o retirou para usar nesta referência e exemplificar a soberania paterna.

90. Cf. CONDE GUERRI, E. Op. cit,., p. 63. Tário foi identificado como Tário Rufo, cônsul em 16 a.C., amigo íntimo de Agripa e Estatílio Tauro, um dos mais fervorosos seguidores de Otávio durante a guerra civil.

91. Marselha tornou-se lugar para banir exilados desde a época de Milão. Cf. Tac. Ann. IV,43,5; IV,44,3; XIII,47,3.

92. Cf. BASORE, J.W. "De clementia". In: *Sen. ten,* p. 402. Nos tempos antigos, o parricida era condenado a ser costurado dentro de um saco juntamente com um cachorro, um galo, uma cobra e um macaco; em seguida eram afogados.

93. A mesma ideia aparece em Sen. *De ira* III,10,3.

94. A ideia do governante como médico capaz de curar está também em Sen. *De ira* I,6,3.

95. Cf. WALTZ, R. *Vie de Sén.,* p. 299-301. A vida e a sorte do escravo dependia da luta surda entre dois partidos políticos: o conservador e o inovador. O partido conservador mantinha o sistema de castas e defendia as tradições nacionais. Em relação ao tratamento proporcionado aos escravos conservava as tradições conforme as práticas mais bárbaras. Considerava "tantos escravos, tantos ini-

migos". Ao contrário, o partido inovador, esclarecido por princípios filosóficos, tinha aspirações liberais e reagia diferentemente: O destino dos escravos e dos libertos era objeto de sua preocupação, e os inovadores procuravam diminuir a exasperação provocada pelos atos de desumanidade.

96. Esta referência é mais compreensível quando se observa que em Suet. (Ner. 38,4) os escravos se refugiaram nos templos e monumentos por ocasião do incêndio de Roma.

97. Cf. CONDE GUERRI, E. *La soc. rom. en Sen.*, p. 59-60. Apresentando Védio Polião sob o prisma da mais refinada crueldade, Sêneca ilustra os abusos que se poderiam praticar contra os escravos. Védio Polião, apesar de ser filho de libertos, conseguiu elevar sua posição social até alcançar o grau de cavaleiro. Acumulou grande patrimônio e parece que foi amigo pessoal do imperador.

98. Cf. Sen. *De Ira* III,37,2. Era corriqueiro irritar-se e castigar os escravos.

99. A ideia de que é a natureza que fornece o chefe retorna em Sen. Ep. 90,4.

100. Este é o mesmo conceito do capítulo III,2,1.

101. Talvez esta seja uma alusão à morte de Britânico.

102. Esta é outra referência às preces solenes que se faziam ao imperador nas calendas de janeiro. Cf. Suet. Ner. 46,4; GRIMAL, P. Le De clem. et la royauté sol., p. 214; cf. p. 91, n. 3.

103. O título de Optimus atribuído a um imperador romano foi atestado pela primeira vez sob Cláudio, et. FEARS, J.R. Nero as vice. in Sen., p. 491.

104. Pensamento semelhante aparece em Sen. *De Ira* II,23,3.

105. Cf. MORTUREUX, B. *Rech. sur clem.*, p. 56. É uma referência à crueldade de Cláudio.

106. Cf. MORTUREUX, B. *Rech. sur clem.*, p. 21, n. 12. As invectivas contra Alexandre são frequentes em Sêneca. Tais recursos oratórios aparecem em *De ira* III,17,1-4; III,22,1; *De ben.* I,33,3; VII,2,5; *Nat. Quaest.* VI,23,2-3; *Ep.* 83,10; 113,29.

107. Cf. Suet. Claud. 14, o imperador Cláudio condenava criaturas humanas às feras quando se convencia de que tinham cometido um delito mais grave.

108. Comparação semelhante aparece em Sen. *De ira* II,8,3.

109. Cf. PRÉCHAC, F. "Intr.", p. CXV-CXVI: trata-se de uma coroa cívica, que ornamentava a porta do palácio imperial, recompensa à qual se misturava um sentimento de veneração. Cf. ADAM, T. *Clem. Princ.*, p. 124-247. Enquanto Augusto obteve a coroa cívica por determinação do senado, porque salvara cidadãos, aqui o príncipe obtém sua coroa sem ter realizado qualquer ato estatal em favor de seus súditos. Também não é necessário obtê-la por merecimento, já que não há mais guerras. Portanto, se a coroa é aparentemente a mesma, as condições para consegui-la revelam diferenças que se produziram desde a época de Augusto.